Latitudes

D0511572

(P) PREMIÈRE IMPRESSION

Québec Amérique est fière d'offrir un espace de création aux auteurs émergents ; avec la mention « Première Impression », elle souligne la parution de leur premier livre.

LE MONDE DES AUTRES

Projet dirigé par Marie-Noëlle Gagnon, éditrice

Conception graphique : Nathalie Caron
Mise en pages : Andréa Joseph [pagexpress@videotron.ca]
Révision linguistique : Martin Duclos et Sophie Sainte-Marie
En couverture : © Polina Gazhur / shutterstock.com

Québec Amérique
329, rue de la Commune Ouest, 3ᵉ étage
Montréal (Québec) Canada H2Y 2E1
Téléphone : 514 499-3000, télécopieur : 514 499-3010

Nous reconnaissons l'aide financière du gouvernement du Canada par l'entremise du Fonds du livre du Canada pour nos activités d'édition.

Nous remercions le Conseil des arts du Canada de son soutien. L'an dernier, le Conseil a investi 157 millions de dollars pour mettre de l'art dans la vie des Canadiennes et des Canadiens de tout le pays.

Nous tenons également à remercier la SODEC pour son appui financier. Gouvernement du Québec – Programme de crédit d'impôt pour l'édition de livres – Gestion SODEC.

Canada   Conseil des arts   Canada Council   **SODEC**
          du Canada   for the Arts   Québec

Catalogage avant publication de Bibliothèque et Archives nationales du Québec et Bibliothèque et Archives Canada

Deslandes, Line
Le monde des autres
(Latitudes)
ISBN 978-2-7644-3205-1 (Version imprimée)
ISBN 978-2-7644-3252-5 (PDF)
ISBN 978-2-7644-3253-2 (ePub)
I. Titre. II. Collection : Latitudes (Éditions Québec Amérique).
PS8607.E763M66 2016   C843'.6   C2016-941362-4
PS9607.E763M66 2016

Dépôt légal, Bibliothèque et Archives nationales du Québec, 2016
Dépôt légal, Bibliothèque et Archives du Canada, 2016

Imprimé au Québec

LINE DESLANDES

LE MONDE DES AUTRES

Québec Amérique

À ma mère, Lise

J'ai d'moins en moins d'points communs
avec le monde entier
moi qui a' toujours eu besoin d'quelqu'un
avec qui rêver

Kiki BBQ, Martin Léon

-1-

J'ai toujours détesté l'odeur des voitures neuves. C'était une curieuse aversion, mais je ne m'y étais jamais intéressé davantage que pour la constater et la subir. Ça n'avait pas été mon genre d'analyser les choses, pas plus celle-ci qu'une autre, et je m'étais contenté de voir là un travers de ma génétique, autrement morne et convenue.

J'ai pris conscience de ma condition le jour de mon dixième anniversaire. Ma mère était venue m'attendre devant l'école après les classes. Je la revois comme si c'était hier, légèrement adossée contre la portière de droite d'une voiture étincelante, les joues rosies par une excitation confuse. Elle agitait ses bracelets pour m'aider à la repérer.

— Par ici, mon chéri ! Regarde ! On a une voiture neuve !

Ce n'était pas tout à fait vrai : elle avait bien quelques années d'usure, mais elle puait le neuf comme au premier jour. J'en déduisis que le propriétaire précédent s'était acharné à en préserver les arômes d'origine. Je l'imaginais rouler les vitres hermétiquement fermées et refuser de laisser monter les passagers parfumés. Mes affreuses nausées m'imposaient un tout autre rituel. Sitôt assis sur la banquette arrière, je m'empressais de descendre ma fenêtre et ne refermais la portière que lorsque j'entendais le bruit des pneus sur la chaussée. Je gardais le nez dans le vent jusqu'à ce que les tendres récriminations de ma mère m'enferment dans ce relent sec qui me piquait la gorge et me donnait envie de vomir.

— Mais enfin, Louis, qu'est-ce qui te prend, garçon ? Tu vas attraper froid !

Tard dans la trentaine, je me résignai pour la première fois à mettre les pieds chez un concessionnaire de voitures neuves. Je dus me faire violence. Je n'étais plus un enfant, enfin, cette odeur n'aurait plus le même effet sur moi, et puis je roulerais les fenêtres ouvertes sans que la voix de ma mère retentisse pour m'en empêcher.

J'y allai à reculons, peu convaincu par mes propres arguments mais refusant de céder au gamin que j'avais été et qui continuait de m'habiter malgré moi. Je passai les lourdes portes de verre, en dépit de mon trouble. L'immensité de la salle d'exposition ajouta à mon vertige. Je déambulai, l'air absent, entre les véhicules, jusqu'à ce que Michel, un ancien camarade de classe, me tire de ma torpeur.

— Louis Melançon !

Je le vis venir à ma rencontre, le pas léger et assuré, puis tendre sa main droite dans ma direction. J'aurais voulu la saisir simplement et engager spontanément la conversation, mais je n'avais pas cette candeur. J'observais Michel, les bras ballants, sans prendre la peine d'exprimer ma surprise ou de la camoufler de bavardage. Mon comportement ne sembla pas le déranger. Il remit la main qu'il me tendait dans sa poche et prit la parole en faisant abstraction de la douzaine d'années que nous avions passées sur les bancs de la même école.

— Tu cherches un modèle en particulier ? Sinon je t'en montre quelques-uns ?

J'acquiesçai d'un hochement de tête. Il m'entraîna calmement parmi les voitures, sans attendre plus de réactions de ma part, et entreprit de me décrire les caractéristiques de chacune d'elles. Je le regardais sans broncher. Il était à peine reconnaissable, coincé dans un complet en polyester, les joues lisses comme ses chaussures. Mais qu'était-il donc advenu de son éternelle chemise de lin écru ? Et de la barbe, qu'il portait déjà en deuxième année du secondaire, comme pour signaler au reste du monde son indifférence, plus insolente à mes yeux que les injures du gros Jean, la terreur de notre école ?

Il y avait plus de vingt ans que je ne l'avais pas vu, celui-là. Pourtant, je m'endormais encore en proie à des souvenirs cruels et à des désirs de vengeance. Je me revoyais arriver à la petite école chaque mercredi, vêtu du même pantalon bleu pâle que ma mère insistait pour me faire porter, traînant mon saxophone dans un sac à l'effigie de Peter Pan qu'elle avait elle-même fabriqué. Je pouvais encore entendre le gros m'accueillir en claironnant :

— Ah ben ! Si c'est pas la fée Clochette !

Il arrachait mon sac de mon épaule, le faisait tournoyer comme un lasso et le projetait invariablement au sommet d'une petite butte qui vallonnait la cour de l'école. Tout le monde éclatait d'un rire niais sauf Michel, qui lisait, une fesse accotée sur une des balançoires plantées le long de la clôture, indifférent au délire du gros Jean et aux ricanements des autres enfants. Je marchais lentement jusqu'en haut de la butte. Le gros agitait son avant-bras pour orchestrer les cris qui scandaient mon nom en appuyant sur une syllabe à chacun de mes pas, sous le regard impuissant du gardien qui ne prenait même plus la peine de le gronder ou de le mettre en retenue.

C'est moi qui avais insisté auprès de ma mère pour qu'elle demande au professeur de musique de l'école de m'enseigner le saxophone, un soir par semaine, après les classes. Elle m'avait amené à Ottawa, le 1er juillet, pour voir les soldats vêtus de noir et de rouge parader en soufflant dans de superbes instruments de cuivre. Je n'avais jamais vu autant d'hommes au même endroit. Je me laissai aller à imaginer que l'un d'eux était mon père. Bien sûr, je ne vérifiai pas cette hypothèse auprès de maman. Je n'aurais pas osé. Elle-même n'avait jamais prononcé le mot « père » devant moi. Sauf pour parler de Dieu. « Notre Père à tous », disait-elle parfois. Son mutisme m'avait longtemps incité à croire que je n'étais le fils de personne, sinon celui de son foutu Dieu. Puis on m'avait enseigné à l'école que c'était impossible. Je ne pouvais être que le fils de ma mère, comme s'amusait à le répéter le gros Jean, sous un tonnerre d'applaudissements, alors que je revenais sur mes pas en traînant mon sac.

— Fils à maman !

Le magnétisme du gros échappait au bon sens. Il suscitait l'admiration sans raison qui vaille. Comme Dieu, justement. Moi, je les détestais tous les deux, Dieu plus encore que le gros, parce qu'il me dérobait ma mère. Avant chaque repas, elle fixait le plafond et gardait le silence pendant quelques minutes. Elle s'adressait à lui sans que je puisse percer le mystère de leur conversation. Elle faisait de même la nuit. Quand j'allais aux toilettes, je la voyais parfois agenouillée près de son lit, les yeux emplis du même mélange de terreur et de respect que celui qui minait le regard de tous les enfants à la vue du gros. Il n'y avait que Michel qui faisait bande à part et s'extirpait de son joug et de l'insignifiance qui hantait les couloirs de l'école.

Un jour, je montai récupérer mon saxophone et je craquai. J'avais senti que quelque chose se tramait à l'intérieur de moi pendant que j'arpentais la butte. On aurait dit qu'une horde de fourmis fouillait chacune de mes artères. Je compris que je cédais à une folie inextricable quand le sommet fut sous mes pieds. Je n'opposai pas de résistance. À quoi bon? Je m'agenouillai plutôt pour lentement ouvrir la boîte de métal meurtrie par les atterrissages répétés, porter l'instrument à ma bouche et descendre, le pas cadencé, en jouant l'*Ô Canada*, comme les soldats parmi lesquels devait se trouver mon père.

Ce glissement vers la démence avait été pour moi une munition contre le réel. Je me souviens clairement de m'être enivré de l'atrocité de la situation, couvrant d'une âpre froideur tout le monde qui rigolait bêtement. Tout le monde sauf Michel qui, lui se contenta de baisser son livre l'espace de quelques minutes, la tête haute, comme au garde-à-vous, jusqu'à ce que le surveillant mette fin à la mascarade.

— Allez! Tout le monde en rang. C'est assez pour aujourd'hui.

Ce soir-là, j'avisai ma mère que je laissais tomber mes cours de saxophone. Elle ne rechigna pas. Cela m'étonna, mais je devinai plus tard que le directeur de l'école l'avait mise au courant de l'incident. Elle rangea mon instrument au sous-sol et je ne pensai plus jamais à la musique. Ni à mon père.

Le mercredi suivant, à mon arrivée à l'école, Michel était assis en Indien au sommet de la butte. Il ne lisait pas, il faisait le guet. Quand il m'aperçut au loin, j'avançai l'épaule vers l'avant en bombant le torse de côté pour lui signifier que je n'avais pas mon saxophone avec moi. Il hocha la tête, puis il redescendit lire, une fesse contre la balançoire. Nous en sommes restés là. Je ne l'ai jamais remercié ou ne lui ai même seulement adressé la parole, pas plus ce jour-là que tout au long de nos années d'école, mais j'ai toujours cru qu'il s'était installé là-haut pour mettre fin au lugubre manège du gros. De tous les élèves de l'école, seul Michel échappait à son emprise. La certitude qu'il était un être supérieur s'était installée en moi. Je lui avais prêté le plus grand des destins. Il était candidat au prix Nobel de la paix, au Top 40 Under 40 ou au Goncourt de la poésie. Comment une trajectoire aussi prometteuse avait-elle pu dévier jusqu'à le reléguer ici, entre ces véhicules neufs ?

Aucune piste ne semblait plausible, d'autant plus que j'étais sonné. Les rayons de soleil faisaient chatoyer l'après-rasage de Michel et avaient sur moi un effet hypnotique. Plus je l'entendais me vanter la puissance des moteurs, plus je me liquéfiais. Seul son ton assuré parvenait à transcender ma perplexité. Je n'étais pas enclin à la pitié, c'était un sentiment trop complaisant pour que j'ose le ressentir, mais ce que j'éprouvais pour lui s'en approchait. Je me désolais qu'il se soit départi de la jeunesse et du culot que je lui avais attribués alors qu'il se baladait dans les couloirs de l'école, comme si cela me concernait personnellement. Comme si, adolescent, je lui avais secrètement donné pour mission de vivre pour nous deux et qu'il avait failli à porter mes aspirations plus loin que notre dernière année du secondaire.

Une partie de moi s'interrogeait sur la genèse de sa mutation. Je contenais mon envie de lui poser bêtement la question. L'éducation que j'avais reçue de ma mère me dictait de me taire. Je laissai plutôt ma bouche se serrer et mon menton se dérober avant de faire mon choix à la hâte, puis de régler la paperasse tout aussi rapidement, pour en finir avec mon malaise grandissant. La vue de Michel m'était insupportable. Et celle de mon reflet dans les immenses vitrines l'était encore plus. Il me semblait que l'image surdimensionnée qu'elles renvoyaient de moi exacerbait ma banalité.

Contrairement à Michel, qui avait bifurqué en cours de route, j'étais né commun et l'étais demeuré. Mon existence n'était qu'une médiocre succession d'expériences plus ou moins insipides ayant tôt fait de laisser présager la grisaille qui m'accablerait dès la fin de mon enfance. Un court mariage m'avait offert les meilleures années de ma vie adulte sans pour autant réussir à extraire quoi que ce soit de mes tripes. J'allais bientôt avoir quarante ans dans l'indifférence générale, la mienne surtout. J'aurais pu en être à mon soixantième ou même à mon quatre-vingtième anniversaire, cela n'aurait rien changé. Ma vie ne suscitait en moi ni l'envie de rester jeune ni la curiosité de vieillir.

Je pataugeais dans une pétrifiante monotonie. Mes seules incartades consistaient à rouler avec les fenêtres de ma voiture grandes ouvertes, été comme hiver, et à avoir balancé le manuel d'entretien de ma Mazda flambant neuve à la poubelle avant même de quitter le concessionnaire où travaillait Michel. Rien ne servait d'encombrer la boîte à gants : mes services saisonniers seraient assurés à l'atelier de mécanique de Jack, situé à quelques rues de là. Cet établissement avait tout, sauf les allures d'un commerce de voitures neuves. Il sentait l'huile, la poussière et la transpiration, un mélange plus tendre à mon nez que les fragrances synthétiques.

-2-

L'authenticité du garage de Jack me rappelait celle de ma propre demeure, qui avait appartenu à ma mère et à ma grand-mère avant moi, et dans laquelle tout n'était que fonction. Le grille-pain servait à griller le pain, le réfrigérateur à garder la nourriture fraîche, le bain à prendre un bain, et ainsi de suite. Le beige des murs et du mobilier n'était pas destiné à suivre les tendances. Il était passé de relativement moderne à irrémédiablement suranné sans que j'en prenne conscience, tout comme la machine à gommes, dans l'entrée du garage de Jack, témoignait d'un temps ancien sans que personne y prête attention. On fréquentait les lieux pour faire entretenir sa voiture, point à la ligne.

Les vitrines de la réception exiguë sur laquelle débouchait l'atelier de mécanique étaient trop poussiéreuses pour que j'y eusse jamais vu mon reflet, mais si j'avais pu y distinguer quoi que ce soit, ç'aurait été l'image d'un homme qui levait les yeux sur le propriétaire du garage comme ma mère sur son Dieu. J'admirais Jack. Je le vénérais, même. Je le regardais saluer mollement ses clients, sans lever la tête plus qu'il ne le fallait, avec une forme de ravissement. Il notait l'état de chacune des voitures sur un calepin de qualité C, déposait son crayon d'un geste lent et grattait machinalement sa fine moustache, dévoilant des ongles légèrement salis.

J'imaginais que, le soir venu, Jack sautait dans une voiture de courtoisie pour aller rejoindre sa famille, qu'il retirait ses bottes dans le vestibule et qu'il passait à la cuisine pour frotter ses doigts avec une brosse à légumes avant de se mettre à table. Il bénissait son pain. Il était de cette génération de nouveaux arrivants qui consacraient encore les choses. Le dimanche, j'aurais parié qu'il allait à la campagne avec sa femme. Au début de l'automne, un vent du sud balayait les feuilles qui s'accrochaient malgré les nuits fraîches. Son épouse couvrait ses cheveux d'un fichu à carreaux qu'elle avait elle-même fabriqué. De soyeuses bouclettes brunes s'en échappaient par endroits. Elle lui parlait élégamment dans un français magnifique, agrémenté d'un accent polonais.

Pendant ce temps, je visualisais Michel avachi sur le sofa en similicuir d'un appartement à moitié vide de Longueuil. Il écoutait des films sur Netflix. J'avais la certitude qu'il n'ouvrait la bouche que pour commander de la pizza les samedis soir, vers 19 h. Une extra-large, toute garnie, sans oignons, dont il mangeait une moitié le soir-même et l'autre réchauffée au micro-ondes le lendemain midi. Je supposais qu'il gardait toute sa vigueur et sa verve pour les acheteurs potentiels de voitures neuves. Je doutais d'ailleurs qu'il ait lui-même les moyens d'en posséder une. Lorsqu'il s'était présenté au travail la première fois, son patron avait dû prendre un air contrit pour lui demander de garer sa vieille Buick hors de la vue des clients. Michel avait docilement pris l'habitude de la laisser dans le stationnement d'un dépanneur du quartier. Il coupait le contact, verrouillait manuellement chacune des portières et passait s'acheter un paquet de Dentine et un café filtre aromatisé à la vanille avant d'entamer sa journée.

J'inventais. Je le savais. Je ne connaissais pas vraiment Michel ni Jack. Je ne connaissais personne, à vrai dire, et ces deux hommes s'étaient frayé un chemin dans ma tête, à l'endroit jadis occupé par l'idée que je m'étais faite de mon père. Un terreau fertile pour l'imagination et la pâmoison.

-3-

Je rencontrai Josiane la première fois que je laissai ma voiture neuve au garage de Jack, quelques mois après en avoir fait l'acquisition. Son amie Marie et elle souriaient à pleines dents sur la page couverture du magazine *L'actualité* qui traînait sur une vieille table basse au milieu de la salle d'attente. Je me rappelle avoir attrapé l'exemplaire et m'être mis à le feuilleter, en quête des pages qui la concernaient. Dès les premières lignes de l'article, je me surpris à m'imaginer assis à ses côtés, au bar d'un hôtel quelconque, si près d'elle que je pouvais la sentir. Si je m'étais penché, j'aurais pu blottir mon nez derrière son oreille, ornée d'un délicat bouton d'or. J'avais un peu de temps devant moi ; je me présentais toujours chez Jack à l'avance pour m'imprégner des lieux. Une multitude de détails vinrent donc agrémenter ma rencontre impromptue avec Josiane. Je la fis gracieuse, un mètre soixante-quinze, la taille svelte. Elle m'observait d'un air coquin pendant qu'on savourait lentement nos verres. Je buvais un whisky. J'ignorais le goût de cet alcool sur ma langue. La chaleur qui serait descendue dans ma gorge si j'en avais avalé une vraie gorgée m'était encore inconnue, mais je me plongeais dans mon imaginaire sans retenue. Seuls me raccrochaient à la réalité la dureté de mon siège et le billet de loterie que je faisais claquer sur mon index en étirant et en contractant machinalement le pouce.

Je m'entêtais à miser religieusement sur les mêmes numéros, chaque semaine depuis belle lurette, sans savoir exactement pourquoi. C'était une étonnante habitude pour moi qui avais si peu d'intérêt pour la richesse. Mon emploi de comptable pour une firme de taille moyenne me payait plus que décemment, bon an mal an. Cela m'avait permis d'économiser pour des mauvais jours qui ne viendraient probablement jamais. Ma mère m'avait transmis la maison beige avant d'aller finir sa vie dans un petit appartement de la rue Berri. Je n'avais pas refait la mienne après mon divorce. Je m'étais contenté de baisser la tête et de me présenter au bureau chaque jour depuis, avec pour unique objectif de finir ma journée. Je n'avais plus souhaité être promu. Je n'avais plus espéré de nouveaux défis. Je n'avais plus posé le regard sur une femme, ni pour l'admirer ni même seulement pour la voir. Surtout pas pour la rêver.

Pourtant, en cet instant, je ne voyais que la jolie blonde aux oreilles ornées d'or et à la robe rose tendre sur la couverture de *L'actualité*. Je la faisais bouger, appuyée contre le bar à mes côtés. Je ressentais une véritable envie de la toucher, de la voir s'animer, de l'entendre me raconter de vive voix qu'elle et sa copine s'étaient installées sommairement dans la maison de son père avec une vieille machine à coudre ayant appartenu à une tante, qu'elles avaient monté une page Web sur Etsy, que leurs ventes avaient tellement décollé qu'elles avaient dû acheter de l'équipement professionnel, qu'elles ne dormaient presque plus et qu'en faisant le tour des salons de métiers d'art l'une d'elles conduisait tandis que l'autre ne cessait de travailler sur la banquette arrière.

— Je te dis, Louis ! On envoie des coussins partout dans le monde. On va sauver Postes Canada à nous autres toutes seules !

— Tu devrais obtenir une subvention du gouvernement ! C'est donnant donnant, tu sais ? Si tu veux, je peux te faire un calcul de rentabilité et te monter un plan d'affaires.

— Avec plaisir.

— Parlant de plaisir, tu veux monter à ma chambre ?

— Bien sûr.

Je n'avais jamais invité une femme à monter dans ma chambre. Ni mon ancienne épouse, Maryse, ni aucune autre avant elle. Je m'aventurais sur un terrain que je ne connaissais pas. Une partie de moi m'ordonnait de revenir sur terre et de reprendre ma place sur la chaise droite de la salle d'attente du garage de Jack. Une autre, d'ordinaire plus discrète, m'incitait à foncer plus fort encore. « Allez, Louis. Fais-la monter. Arrache sa robe d'un rose trop mièvre pour survivre à la passion qui t'anime. » J'hésitais entre les deux avenues, ne sachant pas laquelle appartenait à l'homme et laquelle appartenait à cet enfant qui continuait de m'habiter malgré moi, obtempérant alternativement à l'une et à l'autre, envahi d'un émoi aux confins de la réserve et de la fébrilité. Mon cœur tambourinait quand Jack me sortit de mon dilemme.

— Louis, ta voiture est prête.

Je m'accrochai encore quelques secondes au parfum de Josiane, que j'arrivais presque à sentir entre les pages du magazine, à travers celui de la poussière et de l'huile, et à sa chevelure, que j'aurais pu toucher si j'avais osé fermer les paupières, puis je me dirigeai vers la caisse, presque soulagé.

— Merci. Combien je te dois ?

— Cinquante dollars.

— T'as vu ces deux filles qui vendent des coussins sur Etsy dans le numéro de *L'actualité* qui traîne là-bas ?

— Tu sais bien que je ne lis pas, Louis. Je laisse ça aux gars comme toi.

— Oublie ça. Bonne journée. À la prochaine vidange !

Je saluai Jack en déposant un billet de cinquante dollars sur le comptoir couvert d'une vitre sous laquelle il avait glissé une image de la Vierge Marie et le premier sou noir que lui avait rapporté son commerce. Je tournai les talons sans m'attarder. Je n'avais jamais confié à Jack mon inexplicable admiration pour lui. On se connaissait à peine. J'étais assez lucide pour savoir que mon entichement sans bornes lui aurait été incompréhensible. Peu m'importait. La relation à sens unique que j'entretenais avec lui me suffisait largement.

Je m'attardai une dernière fois sur le magazine que j'avais abandonné derrière la machine à gommes et pris le chemin de la pharmacie pour acheter mon propre exemplaire et vérifier si mon billet de loterie était gagnant.

— C'est pour valider ?

— Oui, s'il vous plaît.

Je répondis en tentant de prendre un air blasé, comme si je savais que je n'allais rien remporter et que ça m'était égal. L'esprit ailleurs, je regardais de nouveau Josiane à la une du magazine que j'avais attrapé au passage.

— Mon Dieu! Mon Dieu, monsieur! Vous avez gagné!

— Ah oui? Combien?

— Le gros lot! Vous avez tous les numéros!

La caissière était prise d'une frénésie qu'elle avait peine à contrôler. Des larmes s'apprêtaient à couler le long de ses joues. Ses pupilles fixes contrastaient avec les mouvements involontaires qui s'emparaient du reste de son corps et donnaient à croire qu'elle allait faire pipi dans sa culotte.

Moi, je n'étais rien de moins qu'assommé. J'aurais dû sauter au plafond et courir dans tous les sens, louant ma mère et son Dieu de m'avoir porté chance, mais j'étais abasourdi. J'attribuai ma déception à la stupéfaction et je m'autorisai à attendre, pantois devant la caissière qui fut rapidement rejointe par tout le personnel de la pharmacie. Ils s'entassaient les uns contre les autres, fous de joie. Certains d'entre eux levaient la main dans l'espoir de me faire un *high five*, comme si je venais de fracasser un record du monde, sans arriver à susciter quelque réaction de ma part. La file s'allongeait derrière moi. Les gens qui s'étaient agglutinés après l'annonce de la caissière commençaient à s'impatienter, jusqu'à ce qu'ils prennent conscience de la cause du brouhaha. Certains serraient mon corps raide dans leurs bras. Les effluves de leur sueur alimentaient le tournis qui s'emparait de moi, menaçant de me projeter au sol. Malgré la cohue, la caissière eut la présence d'esprit d'appeler du renfort.

— Émile, caisse deux, s'il te plaît. Émile, caisse deux.

Un homme qui ignorait la cause de toute cette effervescence s'avança lentement pour lui prêter main-forte. Il se planta derrière l'autre caisse sans qu'un seul des clients se déplace de son côté du comptoir. Ils insistaient tous pour rester attroupés autour de moi, comme si j'étais une star du rock. Seule la caissière semblait avoir remarqué mon état.

— Monsieur, vous aimeriez appeler un ami pour qu'il vienne vous chercher?

Je refusai poliment, à la fois parce que je n'avais pas d'amis et parce que je souhaitais être seul. Des remerciements étranglés s'échappèrent de ma gorge pendant que je me faufilais à travers le petit attroupement pour regagner ma voiture. Aux abords du stationnement, une femme courut se placer devant moi, puis marcha à reculons.

— Vous avez un peu d'argent pour moi? Je vis seule avec mes cinq enfants. Ça me rendrait vraiment service, vous savez?

Je retirai tous les billets que j'avais dans mon portefeuille sans cesser d'avancer et les lui tendis à la sauvette pendant que des dizaines d'autres clients sortaient de la pharmacie en courant vers moi, sans doute pour faire de même.

J'accélérai le pas et me glissai à la hâte dans mon véhicule afin de rentrer chez moi et de retrouver ma solitude. Je verrouillai les portières et pris la route à la moitié de la vitesse permise. La glace du côté du conducteur était baissée, comme toujours, pour laisser la puanteur de la voiture s'échapper et, cette fois aussi, pour offrir ma joue aux assauts du vent. J'étais abruti, voûté derrière mon volant, comme ma mère à deux fois mon âge. Mon cerveau fonctionnait à la fois trop vite et trop lentement, et j'étais incapable de comprendre précisément mon émotion. Tout ce que je réussissais à articuler mentalement, c'était que je devais partir dans quelques heures pour assister au congrès organisé par la firme de comptables pour laquelle je travaillais. J'appuyai machinalement sur le bouton du téléphone pour tenter de joindre mon patron.

— Appeler Charles.

La voix féminine du Bluetooth envahit la voiture.

— Voulez-vous appeler Charles ?

J'actionnai de nouveau le téléphone pour réentendre la voix féminine.

— Voulez-vous appeler Charles ?

Mes pensées s'éclaircissaient un peu. Cette voix étrangère m'apaisait. Je laissai l'appareil atteindre la boîte vocale de Charles.

— Salut, c'est Louis. Je t'appelle au sujet du congrès à Chicoutimi… Je ne sais pas si je vais pouvoir y aller. Il se passe quelque chose. Je te raconterai.

-4-

Mon échange avec la voix du Bluetooth avait transformé l'obscur murmure de mes pensées en idée fixe. Que celle-ci soit grotesque n'y changeait rien. J'avais gardé un doux souvenir de ma brève excursion hors du réel, de mon flirt avec la folie, le jour où j'avais joué du saxophone en descendant la butte de la cour d'école. J'y cédai une fois de plus.

Je bifurquai vers le concessionnaire où j'avais acheté ma voiture quelques mois auparavant. Je me tenais maintenant bien droit derrière le volant. J'appuyais lourdement sur l'accélérateur et le vent fouettait davantage ma joue. Dès mon entrée dans la salle d'exposition, l'odeur de voiture neuve me monta au nez. Quand Michel m'aperçut au loin, il s'élança vers moi. J'étais fiévreux. Le chaos s'était déplacé de mon lobe frontal à mon plexus solaire. J'avançai à sa rencontre comme un automate, sans chercher à dissimuler mon désarroi. Mes yeux tiraient comme pour sortir de leurs orbites et ma tête était lourde, me forçant à pencher le haut de mon corps vers l'avant.

Michel me rejoignit d'un pas vif, arborant un sourire qui aurait tout aussi bien pu être vrai que faux. La vue de ses joues lisses contribua à me ressaisir un peu. Je lançai abruptement et sans l'ombre d'un préambule :

— Michel. Si c'était pour toi, laquelle tu choisirais ?

Il me nomma le modèle un cran au-dessus de celui qu'il m'avait vendu la dernière fois. C'était une tactique de vente vieille comme le monde. Je savais pertinemment que ça ne signifiait pas que c'était celui qu'il préférait. Mais qu'est-ce que j'y pouvais ? Il était passé du jeune idéaliste qui avait marqué ma jeunesse à un être si prévisible que, si je n'avais pas été aussi dérouté, il serait arrivé à me faire ressentir une profonde pitié. Je ne tentai même pas de lui soutirer la vérité. Cela n'était pas la peine. Je me contentai de lui demander de faire un essai routier. Aux abords de la voiture, je l'avisai que je souhaitais que ce soit lui qui conduise.

— Je vais m'asseoir à droite.

— C'est pour toi, on fait comme tu veux !

Nous nous promenâmes brièvement en ville. Trois ou quatre feux de circulation tout au plus. Michel me faisait la conversation. C'était son travail et il le faisait bien. Il discutait météo et me vantait les mérites des quelques gadgets qui venaient avec le modèle de base du véhicule. Son babillage impersonnel m'aidait à retrouver la maîtrise de moi-même.

De retour dans le stationnement, je l'informai que je désirais acheter le véhicule sur-le-champ. Je conservais toujours ma marge de crédit intacte ainsi que l'équivalent de dix pour cent de mon salaire annuel dans mon compte d'épargne. Ces précautions étaient certainement devenues obsolètes.

— Je peux te faire un chèque ?

Michel accepta. Il précisa que son patron avait donné l'instruction formelle de refuser les chèques personnels, que je ne devais surtout pas le répéter, mais puisqu'on se connaissait, il ne se voyait pas faire autrement et je ne sais plus quel autre baratin. Je ne l'écoutais déjà qu'à moitié. Il me fit passer dans son bureau pour conclure la transaction. Je le suivis en traînant mes affaires.

— Je peux commander une auto de la couleur que tu préfères. Tu vas l'avoir dans les prochaines semaines. Mais si tu la veux tout de suite, il faut que tu en choisisses une dans la cour.

— Quelle couleur t'as?

— Je l'ai dans le bleu et dans le gris métallique. Si tu veux mon avis, le gris fait vraiment mieux.

— Je vais la prendre grise, alors.

— Tu veux donner la tienne en échange?

— Non.

Je remplis et signai patiemment chacun des documents. La répétition du geste contribuait à calmer mon angoisse. La garantie prolongée, le paiement, les options et les formulaires semblables n'en finissaient plus de s'accumuler devant moi. Une fois que tout fut réglé, je remis les documents à Michel. Il brassa négligemment les papiers pour en faire une pile bien droite, la déposa au centre de son bureau et m'accompagna à la voiture sans plus de chichis. Je fis machinalement l'inspection d'usage. J'ouvris la boîte à gants, le capot, le coffre, sans leur accorder d'importance. Tout juste après avoir serré la main de Michel, je lui tendis les clés et les documents de bord. Tout, sauf le manuel d'entretien.

— C'est pour toi, Michel.

— Quoi?

— La voiture… Je l'ai mise à ton nom. Elle est à toi.

Il ne me crut pas. Il me traita de fou. Il criait, comme j'aurais moi-même souhaité le faire quelques minutes auparavant. Il répétait qu'on ne lui avait jamais rien donné.

— Mais enfin, qu'est-ce qui te prend, Louis?

— Je suis fou de même.

— …

— Et je viens de gagner à la loterie.

Je le laissai en plan, sans rien ajouter, sans qu'il ait le temps de poursuivre sa litanie de questions: pourquoi lui, pourquoi une voiture? C'était mieux ainsi, je n'étais moi-même pas certain de pouvoir expliquer mon geste.

De retour à bord de mon véhicule, mon angoisse s'était apaisée. Avant de franchir la barrière ouverte du stationnement du concessionnaire, je balançai le manuel d'entretien de la voiture que je venais d'offrir à Michel et rentrai chez moi, comme d'habitude, à cette différence près que la valeur de mes avoirs personnels s'écrivait maintenant avec huit chiffres.

Je poussai la porte. La maison beige était là, pareille à avant elle aussi. Je m'attardai sur le tapis de l'entrée pour essuyer mes souliers pourtant secs, puis les retirer. J'observai tour à tour le comptoir de cuisine, les meubles beiges, la table en chêne ouvré et le téléphone mural des années 1970, avec les numéros d'urgence collés sur le côté.

Le fauteuil inclinable, beige lui aussi, m'appelait. Je traînai les pieds jusqu'à lui en enfilant mes pantoufles en chemin. La housse de plastique que je n'avais jamais enlevée, pas plus que ma mère ni ma grand-mère avant moi, crépita sous mon poids. J'actionnai la manivelle pour baisser le siège et allonger mes jambes. Le téléviseur se mit en marche. Une somme de cinquante-quatre millions avait été gagnée ce jour-là. Au Québec! Un Québécois plein aux as. Alléluia. S'il pouvait en injecter un peu dans l'économie, ça ne pourrait pas faire de tort. Blablabla.

Ils prirent une photo de moi tenant un gros chèque lorsque j'allai récupérer mon gain. Le lendemain, quand je me vis à l'écran depuis mon fauteuil, je constatai que l'homme presque chauve en complet de la même couleur que le canapé devant moi était d'allure médiocre. Qu'il soit riche n'y changeait rien.

Jack se serait présenté devant les caméras vêtu d'un costume rétro, resté comme neuf. Il serait passé mettre la clé dans la porte du garage tout de suite en sortant du bureau de Loto-Québec. Il aurait emmené sa femme dans les Alpes. Le couple aurait vite fait d'acheter un vieux Winnebago dans le premier village à la sortie de l'aéroport et aurait roulé jusqu'à manquer d'essence. Pour le *kick*. Il aurait attendu la dépanneuse en mangeant le contenu de la glacière, assis par terre en bordure de la route. Du prosciutto et du melon taillés avec le vieux couteau suisse dégoté dans la boîte à gants. Jack aurait communiqué avec un de ses fils sur un iPad qu'il aurait pris la peine de glisser dans son unique sac de voyage. Enlacés au bord de la route, sa femme et lui auraient raconté leur mésaventure dans leur langue maternelle en riant à gorge déployée.

Moi, je me tortillais dans mon fauteuil, tantôt droit, tantôt incliné. Je ne savais que faire. Si seulement j'avais eu un rêve, un seul, même minuscule, j'aurais pu essayer de le réaliser. Mais le plus désolant des constats s'imposait : je n'en avais pas, sinon celui qui venait de prendre forme dans la salle d'attente du garage de Jack. Je souhaitais en savoir plus sur cette Josiane, voire la rencontrer. Je tendis la main pour attraper à tâtons la tablette qui traînait sur la table basse et me mis en quête de la page Etsy qui présentait son travail. Après un premier survol, je la passai au peigne fin – la présentation des artisanes, la description de leur processus créatif, chacun des modèles –, puis je commandai deux cents coussins. Mon index allait aléatoirement d'imprimés d'animaux à des broderies à motifs floraux sans que j'y prête la moindre attention. Je ne connaissais strictement rien à la décoration. Les trois coussins qui trônaient à distance égale sur le sofa de la maison beige étaient en velours côtelé brun. Je ne savais pas qui les avait posés là ni depuis quand ils gardaient farouchement mon intérieur hors du temps.

-5-

Je n'avais pas rappelé Charles, mon patron, depuis que j'avais laissé un message dans sa boîte vocale pour annuler ma participation au congrès de Chicoutimi. Je n'étais pas allé au bureau non plus. Il avait bien tenté de me joindre à quelques reprises, me laissant chaque fois des messages plus insistants :

— Allez, Louis. Rappelle, vieux ! On est inquiets !

Je m'étais refusé à le rappeler. Qu'est-ce que j'aurais pu lui dire qu'il ne savait pas déjà ? Il avait certainement aperçu mon crâne derrière le gros chèque en regardant les nouvelles.

Cinquante-quatre millions. J'ignorais ce que c'était. Je ne savais même pas si je pouvais compter jusque-là. Me rendre jusqu'à mille avant de mourir d'ennui relevait de l'exploit. J'avais mis vingt fourchettes sur la table et essayé de visualiser le volume multiplié par deux millions sept cent mille. Rien. Le néant. Pas d'image au fond de la tête. La pièce en entier, la maison, le quartier ? Je n'en avais aucune idée. Pour la première fois de ma vie, ma situation financière se fondait dans un épais brouillard. Je me sentais tout petit devant l'inconnu. J'eus envie d'appeler ma mère pour lui demander conseil. Elle était morte, certes, et accessoirement, elle ne connaissait rien de rien à la finance, mais j'étais intimement convaincu qu'elle aurait mieux su mesurer l'ampleur et la portée de mon gain. Ce qui se ressentait d'en dedans, elle avait toujours mieux su.

Je me dirigeai instinctivement vers le téléphone du couloir et composai son numéro de téléphone. Après le septième chiffre, une douleur intense me vrilla le ventre, aussi vive que le jour où j'avais reçu l'appel d'un médecin, cinq ans auparavant, au même endroit et le même combiné à la main. « C'est au sujet de votre mère. Les ambulanciers nous l'ont amenée. Elle a fait un arrêt cardiaque en chemin. Ils n'ont pas pu la sauver. »

Je tins jusqu'à la première sonnerie puis raccrochai, sans pour autant revenir complètement à moi. Je dévalai les marches qui menaient au sous-sol pour retrouver le vieux répondeur à cassettes que je n'avais jamais pu me résigner à jeter, puis je le mis en marche. « Louis. C'est maman. C'est pour te dire que je pense à toi. Je vais toujours être là, tu le sais ? »

C'était un message qui datait de mon divorce. J'avais tenté de cacher la vérité à ma mère, mais elle avait quand même perçu que quelque chose clochait entre Maryse et moi. C'était du moins ce qu'elle m'avait dit plus tard, un soir où elle m'avait invité chez elle pour souper. Elle avait dressé la table mieux que d'habitude et s'était longuement affairée à la cuisine avant de servir mon plat préféré, l'air plus inquiet que satisfait. Nous n'étions pas du genre à confier nos états d'âme ni à nous toucher, ou plutôt nous ne l'étions plus, mais ce jour-là, elle avait pris ma main, comme à l'époque où elle s'y sentait autorisée. Je me souviens d'avoir reçu la chaleur de ses doigts, à travers sa peau amincie par le passage des années, comme un baume sur une plaie encore vive. Elle ne s'était pas attardée, étonnée d'avoir laissé libre cours à son élan, et, moi, je m'étais interdit de refermer ma main sur la sienne, de crainte d'écraser ses os fragiles, peut-être aussi de fondre en larmes, d'enfin constater la profondeur de ma blessure et de m'affaler sur la table qui sentait bon la cuisine de ma mère, me croyant de nouveau dans ses entrailles, refusant d'en sortir, sachant ce qui m'attendait dehors.

Elle avait plissé le front et m'avait demandé, du ton le plus grave que sa petite voix pouvait prendre, si tout allait bien avec Maryse. Cette petite voix me manquait plus que jamais. Je remis le répondeur en marche pour l'entendre une fois de plus. « Louis. C'est maman. C'est pour te dire que je pense à toi. Je vais toujours être là, tu le sais ? »

— Menteuse, va ! T'es où, là ?

Je m'entendis crier en direction du répondeur avant de remonter en courant pour m'asseoir, à bout de souffle, dans mon fauteuil inclinable et m'obstiner à attendre un appel d'outre-tombe, déchiré entre les restes de mon discernement et la perte de mes derniers repères. Je n'avais jamais rien su, sinon que ma mère serait toujours là et combien j'avais dans mon compte de banque. Ces deux seules certitudes envolées, je ne tenais plus rien pour acquis.

La télévision cracha des bêtises pendant des heures ou peut-être même des jours. Le manche de mon fauteuil montait et descendait au rythme où le soleil se levait et se couchait. Mes pantoufles brossaient le sol entre mon fauteuil et le réfrigérateur presque vide, à part un panier de framboises, emblème de ma résistance, que je me refusais à manger.

Le temps filait sans que j'en prenne pleinement conscience. Je ressassais ma rupture avec Maryse. Je la revoyais m'avouer qu'elle avait commencé à me tromper plusieurs mois auparavant. C'était à l'approche de Noël. Elle répétait que son amant refusait de passer le réveillon sans elle, pendant que je réfrénais une sordide envie d'emprunter une des expressions fétiches du gros Jean pour le traiter de couillon.

J'avais réussi à contenir mes insultes et avais encaissé, à froid, la vision de ma femme me suppliant de divorcer au plus vite. Je me revoyais, impassible, assis dans le même fauteuil inclinable que celui où je me trouvais alors, incapable d'articuler quoi que ce soit de valable. J'avais fini par me retrancher derrière le seul argument qui m'était venu en tête.

— Tu ne peux pas me quitter avant Noël. Ça va tuer ma mère.

De tous les couillons, j'avais été le champion. Maryse avait eu beau crier qu'elle ne voulait plus être ma femme, qu'elle se moquait éperdument de Noël et même de ma mère, j'étais demeuré intraitable. Je comprenais son désir de me quitter, sa vie avec moi avait dû être d'un indescriptible ennui, mais elle avait été à mes côtés assez longtemps pour que je me convainque qu'elle s'y plaisait. Encore cette satanée propension à croire à l'impossible.

La sonnette me tira de ma torpeur. Deux gars de FedEx entrèrent pour me faire signer un accusé de réception. Il y avait une vingtaine de cartons derrière eux sur le balcon. Je devinai qu'ils contenaient les coussins que j'avais commandés sur la page Etsy de Josiane et Marie.

— Vous voulez qu'on les rentre à l'intérieur ?

— Non, vous pouvez les laisser là.

Les deux livreurs quittèrent le porche de la maison beige sans s'attarder. L'un d'eux se boucha le nez et agita sa main devant sa figure en faisant des grimaces. Je ne vis pas la réaction de l'autre. Les piles de boîtes me cachaient la vue.

6

J'ouvris les cartons un à un. Un oiseau, un élan, une rose, du lilas, dans une odeur de mort : celle de ma mère qui ne rappelait pas, des framboises que je m'étais résigné à balancer à la poubelle et de mes dernières certitudes.

Rose, bleu, vert pâle, mauve, sur le canapé beige. Une montagne par terre. Deux cents coussins. J'étais rassuré, je savais encore compter et je savais aussi que, quand j'aurais ouvert ma dernière boîte, il y aurait des coussins plein le salon. Je me coucherais sur le monticule, comme sur un nuage, comme sur Josiane, flottant nue sur les débris de sa robe rose dans un hôtel quelconque.

La sonnerie retentit de nouveau. Je me levai pour aller ouvrir, croyant retrouver un des deux hommes en mauve et noir avec, à la main, un paquet oublié dans leur camion de livraison. C'était Michel. Il portait un jeans et une chemise à rayures. Ça lui allait bien. Il souriait, d'un vrai sourire cette fois-ci. Il ne sembla pas remarquer que ça sentait les restants de thon en boîte, que j'étais en pyjama et qu'un immense tas de coussins trônait dans mon salon.

— J'ai trouvé ton adresse dans le dossier. Je me suis permis… J'ai essayé de t'appeler, mais je n'ai pas eu de chance… Je voulais te remercier convenablement.

— …

— J'étais saisi, l'autre jour, et je ne sais pas si j'ai exprimé clairement ma reconnaissance.

— Ne t'en fais pas. Ce n'est rien.

— Habille-toi ! Je t'emmène faire un tour.

Je me demandai si c'était ma mère qui l'avait appelé, s'il allait me conduire à elle, dans son petit appartement de la rue Berri. J'acceptai sans résister.

— Tu me donnes quinze minutes ? Je vais me doucher.

— Bien sûr.

— Tu peux m'attendre au salon.

Je le vis se frayer un chemin à travers les coussins pendant que je me dirigeais vers la salle de bains.

Le jet de la douche frappait mon front. L'eau coulait sur mes tempes, tombait sur mes épaules et se répandait sur l'ensemble de mon corps. Sa chaleur attirait le rideau vers l'intérieur du bain et déplaçait légèrement l'air. Je frissonnai, m'éveillant enfin complètement à mes sens, me rendant à l'évidence : Michel n'avait pas l'intention de m'emmener à ma mère. Il fallait être un peu désaxé pour y avoir songé. C'était bien ce que je devenais tranquillement : fou. Je cédais de plus en plus à l'envie de traverser la frontière entre le réel et le délire. Je préférais mes derniers déboires à la fadeur dont je m'étais affublé jusqu'alors. Elle m'avait assez pesé. La folie me siérait mieux. Enfin une certitude.

Quand je rejoignis Michel à la cuisine, il avait nettoyé le comptoir, sorti les déchets et mis le lave-vaisselle en marche. Il regardait la montagne de coussins sans faire voir son étonnement.

— Mon préféré, c'est celui avec une planche de surf.

— Prends-le!

— Mais non. Tu m'as déjà assez donné. Je ne prendrai pas un coussin en plus! Oublie ça. Viens!

La voiture de Michel sentait le neuf. Plus que la mienne. Elle était un peu plus récente et, manifestement, il n'avait pas l'habitude de baisser les vitres. L'odeur me monta au nez, achevant de m'éveiller. Je contins un haut-le-cœur et laissai Michel nous amener sur l'autoroute. On accéléra. Nous roulions comme des adolescents, ignorant tout autour de nous, comme si nos vies étaient sans valeur, comme si la vitesse nous libérait de nos limites et de celles du monde dans lequel nous vivions. Pour un moment. Jusqu'à ce que la sirène des policiers nous rattrape. Ils nous donnèrent une contravention salée, que j'insistai pour payer. J'avais les sous qu'il fallait. Michel recevrait les points d'inaptitude, ce serait bien assez. Il m'assura qu'il n'avait rien à faire de ces points, qu'il en avait plus qu'il n'en aurait jamais besoin. On nageait tous les deux dans une insouciance euphorique.

— Je te laisse payer à condition qu'on recommence.

— OK.

On ralentit, le temps que la voiture de police s'éloigne, puis on repartit de plus belle. La seule chose qui nous retenait, c'était les chevaux-vapeur. Je criais pour la première fois depuis l'enfance, comme j'aurais dû crier le jour de mon gain, celui où Maryse m'avait quitté et celui où on m'avait annoncé la mort de ma mère. Tous les silences de ma vie fusionnaient en un cri strident qui aurait dû crever les tympans de Michel mais qui ne faisait que l'encourager. Il allait le plus vite qu'il pouvait, appuyant vigoureusement sur l'accélérateur, devinant que mes cris étaient salvateurs, se prêtant à leur libération. On écopa d'une deuxième contravention avant de nous résigner à rentrer. On avait le goût de continuer, mais la réalité nous rattrapait.

— Je repasse te voir, si tu veux.

— La prochaine fois, tu repars avec un coussin…

— Ça va t'en prendre, de la visite, pour en venir à bout un par un.

Plus de visite que je n'en aurais jamais. Encore une certitude.

7

Le jour suivant, je commandai deux cents autres coussins à Josiane et à Marie. Les mêmes ou non, cela m'était égal. Mon doigt virevoltait aléatoirement sur les pages. Deux chiens, Pierrot la lune, n'importe quoi. Quand j'ai vu le chiffre « cent cinquante » à côté du panier, dans la marge en haut de la page, j'ai commencé à choisir, à prendre les plus difficiles à confectionner. De la broderie de dentelle, mes initiales « LM », ocre et jaune moutarde, des couleurs démodées. Je voulais être certain qu'elles ne les auraient pas en stock et qu'elles devraient se déclarer vaincues, au bout de leur temps, les doigts en sang, n'arrivant plus à réduire leurs heures de sommeil.

Je pensais recevoir un message de Josiane quelques jours plus tard. J'imaginais qu'elle se confondrait en excuses et reporterait la date de livraison. Marie et elle étaient enchantées de me compter parmi leur précieuse clientèle, mais le volume de ma commande allait requérir une période de fabrication plus longue que prévu. À mon grand étonnement, ce n'est pas une lettre que je reçus, mais bien deux cents coussins, dont un de couleur ocre sur lequel mes initiales étaient habilement brodées d'un fil jaune moutarde ainsi qu'un autre monochrome, du même beige que mon canapé. Je les posai sur le fauteuil inclinable et j'empilai les autres sur ceux qui couvraient déjà le plancher de mon salon. On se serait cru dans un parc d'attractions pour enfants, ma mère, exaspérée, me priant de rentrer à la maison, promettant du chocolat, de la glace, invoquant même, de guerre lasse, le fils de Dieu, mais en vain. Je restais là. Je n'avais pas touché mon lit depuis la première livraison. Au sortir de mon fauteuil, je me laissais choir au sol et dormais jusqu'au matin, un coussin sur lequel figurait Bob l'éponge contre mon cœur et deux chatons entre mes genoux. Ce soir-là ne fit pas exception, si ce n'est qu'il y avait maintenant quatre cents coussins dans mon salon et que je ne savais plus où était Bob.

Au petit matin, je retournai sur Etsy. Je ne commandai que des coussins avec mes initiales. «LM». Encore deux cents. Cette fois-ci, j'étais certain que Marie et Josiane ne parviendraient pas à donner suite à ma commande dans les délais fixés. Elles seraient dans l'obligation de reporter la livraison. Je m'installai au centre du salon, mon iPad sur les cuisses et un vieux bagel que j'avais trouvé dans le congélateur du sous-sol entre les doigts. Je mettais à jour ma boîte de courriels après chaque bouchée, convaincu que cette fois-ci était la bonne. Je ne sais pas combien d'heures je passai là. Je relevais mes courriers électroniques comme un automate. Je n'osais plus espérer, mais je m'obstinais à faire et à refaire le geste, jusqu'à ce que je reçoive enfin un bref message de Marie et de Josiane. Elles me remerciaient de mon intérêt pour leurs coussins faits à la main. «Nous nous soucions de la satisfaction de notre clientèle et préférons vous informer que la livraison de vos deux cents coussins brodés des initiales LM devra être retardée pour assurer le maintien du standard de qualité que nous souhaitons offrir.» C'était signé «Josiane et Marie». Si on se fie à la règle de politesse qui veut que celui qui s'exprime se nomme en dernier, c'était Marie qui écrivait. Mon stratagème n'était pas assez raffiné pour parer à cette éventualité, mais je me promis de persévérer. La menace du temps qui s'étendait devant moi, qui me devançait sans cesse, était plus effrayante que la crainte que mon plan avorte. La peur de l'échec que j'avais connue jusqu'alors ainsi que toutes mes autres appréhensions me semblaient vaines. Elles perdaient du terrain, minuscules face à ce temps qui se déroulait à l'infini devant moi, qui n'était plus que langueur et que je ne savais plus arrêter. Je repensai aux derniers printemps, quand je préparais des déclarations de revenus et que le temps se faisait rare et précieux. Ce temps-là n'avait rien à voir avec celui qu'il était devenu. Je contre-attaquai.

> *Bonjour, Marie et Josiane,*
>
> *Je comprends que vous ne puissiez pas respecter les délais de livraison prévus, compte tenu de la quantité désirée. Surtout, ne vous faites pas de souci. Je recevrai les coussins lorsqu'ils seront prêts. Veuillez par ailleurs prendre note que je suis allé sur votre page pour doubler la commande.*
>
> *Merci beaucoup,*
>
> *LM*

J'avais calculé un délai de livraison normal de dix jours, doublé pour la première commande, puis encore une fois pour la deuxième. Je refis mes calculs et conclus à une attente de quarante jours. Je savais prendre la mesure de quarante jours – presque six semaines – et me réjouissais à l'idée de recadrer ma vie dans un espace-temps connu. Une partie de moi souhaitait être ranimée. Je comptais, sans me l'avouer, sur les limites que je venais d'imposer à mon temps pour le voir se remplir. Contempler le monticule qui envahissait mon salon ne me suffisait plus. J'avais le goût de m'activer, de combler ce vide qui grandissait en moi. J'étais prêt à tout, sauf à regarder cette saleté de télévision qui crachait des bêtises. J'entrepris de naviguer sur Internet, à la recherche des êtres qui hantaient ma vie.

La page Facebook de Maryse était verrouillée. Seules ses photos de profil et de couverture étaient visibles. L'une d'elles la montrait devant la mer, à peine couverte d'une robe diaphane. Son regard profond, teinté d'espièglerie, soutenait celui de l'objectif. Elle avait l'air plus jeune que le jour de notre mariage, il allait bientôt y avoir dix ans. Je m'imposai de tenir jusqu'au bout, non sans un pincement au cœur. La photo suivante la montrait en train d'enlacer chaleureusement un homme qui devait être celui pour lequel elle m'avait quitté. C'était bien pour cela que je n'avais jamais succombé à la vile envie d'accéder à ces répertoires. Il n'y avait rien de bon à en tirer, sinon le fait de me remémorer combien elle s'était ennuyée avec moi, loin de ce regard sagace qu'elle s'était depuis approprié, et combien notre mariage avait été improbable – une erreur de parcours, rien d'autre.

Si j'avais pu m'approcher, je l'aurais entendue murmurer à l'oreille de l'homme qui l'accompagnait qu'elle ne s'expliquait guère notre union, sinon par l'atroce déception amoureuse qui l'avait précédée, qui l'avait plongée dans une forme d'apathie, loin de toute lucidité, loin de toute envie de vivre pleinement, par crainte d'être blessée. Elle aurait soulevé ses paumes au ciel en signe d'impuissance, aurait observé un moment de silence pour se recueillir sur ses erreurs passées, puis aurait ajouté, en haussant les épaules, que la ferme promesse d'ennui charriée par ma démarche l'avait enlacée de rassurantes illusions dont elle ne saurait que faire aujourd'hui. L'homme aurait tapoté sa main en la priant de ne plus penser à cette triste histoire. Je m'entendis respirer lourdement puis m'astreignis à fermer la page de Maryse.

Il n'y avait rien sur Jack. Sa vie entière était étrangère au géant Google. Je retirai mes doigts de mon clavier et croisai les bras quelques instants. Mon imagination devait suffire à brosser un tableau de sa vie. Il avait obtenu un doctorat en philosophie et un poste de professeur titulaire à l'université de Cracovie. Il s'était construit une vie confortable, là-bas, avant de fuir, avec d'autres intellectuels ennemis du régime communiste. Un triste exil l'avait mené jusqu'à Montréal, où il avait fait des études pour devenir mécanicien avant de rencontrer sa femme, originaire de Pologne elle aussi, et de mettre au monde trois merveilleux enfants. J'essayai une dernière fois d'en savoir plus en entrant l'adresse du garage. Il n'y avait vraiment rien.

Si Jack échappait au puissant moteur de recherche, ce n'était manifestement pas le cas du gros Jean. Une multitude d'entrées, dont une page Facebook entièrement publique, le suivait à la trace. Il était devenu sous-traitant pour Trévi. Il installait des piscines hors terre et vivait à Saint-Ignace-de-Loyola. Je laissai le curseur descendre vers le bas de la page, qui n'en finissait plus d'afficher des photos et des films de lui, bedonnant, faisant la bombe dans une piscine qui semblait être la sienne, prenant une bière sur le pont d'un bateau de plaisance ou échoué dans un bain à remous.

Je me lassai de mes recherches. Elles ne menaient à rien. Un projet commençait à germer en moi sans mon plein concours. Je remerciai la folie de venir une fois de plus à ma rescousse pendant que je consultai ma montre. Il était 16 h 30. J'attrapai le combiné du téléphone du couloir pour appeler des entreprises de location de voitures.

— Sans vouloir vous décourager, monsieur, vous allez avoir de la misère à trouver une camionnette à cette heure-ci, un 30 juin !

J'ignorais la plupart du temps quel jour on était, mais je savais que l'homme avait raison. Il serait difficile de trouver un camion la veille du jour du grand déménagement. Je consultai le site Internet du concessionnaire où travaillait Michel pour trouver son numéro de téléphone. Je tombai dans sa boîte vocale à quelques reprises avant de réussir à le joindre.

— Salut, c'est Louis. Écoute, je me demandais… Est-ce que vous prêtez parfois des camionnettes aux clients de votre service d'entretien ?

— Je pense bien. Pourquoi ?

— J'aimerais en emprunter une…

— Il faudrait que je demande à mon patron, mais *a priori*, je ne vois pas de problème… Je regarde ça et je te reviens. Si ça marche, je te donnerai un coup de main.

— Merci.

-8-

Michel ne me rappela pas. Il se présenta plutôt chez moi à la fin de son quart de travail, frappa un coup puis entra sans attendre que je vienne lui ouvrir. Il se dirigea directement à la salle de bains pour retirer son complet et enfiler un jeans. Quand il sortit, j'avais déjà commencé à charger les coussins dans la camionnette. Il en prit quelques-uns au passage et m'emboîta le pas. On fit des voyages de coussins jusqu'à ce que la camionnette soit pleine. Des imprimés de chiens, de chats et de fleurs s'écrasaient contre les vitres de côté quand on s'installa pour prendre la route. Michel ne me demanda rien, ni pourquoi ni où on allait. Je l'avais jugé trop vite lorsque je l'avais revu pour la première fois chez le concessionnaire, perturbé par l'odeur de voiture neuve et par la vue de ses joues lisses. Il avait gardé ses idéaux plus que je ne me l'étais imaginé, l'indulgence et la déférence du moins. Je me gardai d'aborder la question avec lui. Je me contentai de filer vers l'est.

Avant de sortir de Montréal, je fis un arrêt devant le cimetière où était enterrée ma mère.

— Michel, attends-moi ici, veux-tu?

Il était d'accord, bien entendu. Pas un mot, pas une question ne s'échappa de sa bouche.

J'ouvris la portière coulissante et m'attardai quelques secondes devant la montagne de coussins. J'hésitai. Je ne savais pas lequel choisir. J'en attrapai finalement un tapissé de muguets. Je le pris entre mes doigts puis, j'avançai parmi les pierres tombales. Le sol était sec et la nuit était chaude. Je posai le coussin devant la tombe de ma mère et m'agenouillai dessus. Je commençai par remercier Dieu pour les bons services qu'il lui avait rendus avant de lui donner congé et de le prier de nous laisser enfin seuls pour que je puisse m'adresser à elle, le front contre le dessus de la pierre rugueuse. Mon éternelle question refusait de me quitter. « T'es où ? »

C'est Michel qui me réveilla. J'étais en boule devant la pierre tombale de ma mère, la tête sur le coussin et les yeux qui chauffaient. Il dit « Louis », tout doucement, en posant une main sur mon épaule pour me réveiller. Il faisait noir. Je ne savais pas combien de temps il m'avait laissé là sans intervenir. J'étais presque bien. Ma peine avait été assommée par un sommeil précédé de larmes et ma question sans réponse avait disparu. Michel m'aida à me relever en me tenant par le coude. Je posai le coussin à mes pieds et je le suivis entre les pierres. Je craignais que la batterie de la camionnette se soit déchargée et que Michel se soit ennuyé, seul, à l'entrée du cimetière, mais je ne sentais pas le besoin de m'excuser.

— Tu veux que je conduise ?

— Non, ça va. Merci.

Je repris le volant et révisai l'itinéraire que j'avais noté sur une feuille mobile. On se rendit à Berthierville, puis on suivit les indications pour le traversier. La radio resta éteinte, Michel silencieux. On roula dans le rang le long de la rivière, vers le bout de la troisième île. Michel ne posait toujours pas de questions. Pas même quand j'éteignis les phares et réduisis ma vitesse à dix kilomètres à l'heure, éclairé par la lune et son reflet sur l'eau. On avança encore de quelques mètres, jusque devant la maison du gros Jean. Je descendis sans rien dire et fis glisser la portière latérale du véhicule. Je commençai à décharger la cargaison de coussins et à me diriger vers la cour arrière. Michel me suivit, les bras remplis de coussins. On se délesta tour à tour dans la piscine du gros. On maintint chacun des coussins sous l'eau jusqu'à ce qu'ils soient détrempés et coulent vers le fond, puis on recommença. On longeait le mur de côté de la maison les bras chargés. On s'accroupissait pour passer sous la fenêtre de la chambre du gros Jean, qui devait dormir comme un bébé à cette heure-là. Quand la camionnette fut vide, la piscine, elle, était presque pleine.

Je ne demandai pas à Michel s'il savait où nous étions. On pliait les genoux sous la fenêtre du gros, comme j'avais jadis baissé la tête sur son passage. Les choses changeaient peu, mais ma revanche était quand même libératrice. Je bénissais ma folie, porteuse de plénitude.

— Michel, on reste ici jusqu'au matin.

— Comme tu veux. Dans la *van* ?

— Non, en dessous de la fenêtre. Je veux l'entendre se réveiller.

Michel s'assoupit, adossé contre les fondations en béton. J'allai déplacer la camionnette quelques maisons plus loin avant de venir le rejoindre. Je ne fermai pas l'œil de la nuit. Je n'avais fait que dormir depuis que j'avais remporté le gros lot, mais, là, je n'avais pas sommeil. Je guettai l'aurore en savourant, fébrile, les fruits de ma vengeance à retardement. Je ne voyais pas le temps filer. Son poids avait quitté mes épaules. Les heures étaient devenues des minutes, et les minutes, des heures.

— Tabarnak ! Que c'est ça ?

Le plongeon du gros Jean fit un *flat* sourd. On l'entendait se débattre entre les coussins. Sa nage encombrée et maladroite était accompagnée d'un gémissement de chien qui tente de ne pas se noyer.

— Viens, Michel, on y va. J'ai eu ce que je voulais.

On s'arrêta au McDo au bord de la 40. Deux œufs McMuffin et une patate hachée brune dans un sachet. Michel se rendormit dès qu'il eut avalé sa dernière bouchée. On avait oublié un coussin dans la camionnette. Je l'entendais glisser d'un bout à l'autre du véhicule et je regrettais de ne pas l'avoir utilisé pour boucher le filtre de la piscine.

Michel ouvrit un œil quand nous arrivâmes près de Repentigny.

— Travailles-tu aujourd'hui, Michel ?

— Non. C'est fermé.

On continua puis on roula jusqu'au petit matin. Je rangeai la camionnette au bord d'une route secondaire et on dormit un peu. Michel n'était pas attendu chez le concessionnaire le lendemain non plus, alors on reprit notre chemin. Et on recommença le jour suivant. Il ne me posa jamais de questions. Il acquiesçait à mes suggestions sans sourciller. Je pensai qu'à un moment donné il me demanderait de l'argent ou une faveur quelconque. Rien. Pas un sou ni quoi que ce soit d'autre. Il était calme, souriant et silencieux, si loin de son reflet dans les grandes vitres du concessionnaire et de l'idée que je m'étais faite de lui.

On faisait la tournée des Tim Hortons. Je ne lui payai même pas un beigne. Nous prenions chacun un café, lui noir, moi avec deux laits, un Boston trempé dans le chocolat et une roussette au miel. C'était tout ce qu'on voulait. Nous n'étions pas bavards, mais on avait commencé à mettre de la musique. Près des villes, les stations passaient surtout des tubes à la mode. Plus loin, c'était du vieux rock. Michel avait l'air de préférer les *hits* des années 1980. Parfois, je me surprenais à l'entendre chanter. Je ne sais pas si c'était la fatigue, mais j'eus l'impression qu'il avait les yeux dans l'eau quand on quitta le Manitoba. Ça ne pouvait pas être la Saskatchewan qui lui faisait cet effet. Il fallait que ce soit la voix grave de Kenny Rogers. « *You picked a fine time to leave me, Lucille.* »

— Parle-moi d'elle, Michel.

— …

— Si tu veux… Parle-moi d'elle.

— …

— …

J'éteignis la radio avant la fin de la chanson. On roula en silence à travers les plaines, Michel et moi, dans la camionnette qui n'allait nulle part, dans un voyage qui ne servait à rien.

— Ce n'était pas Lucille.

— …

— Elle s'appelait Luce.

— C'est joli, Luce.

— Pas autant qu'elle.

Il en resta là. Mais le jour suivant, il me raconta. Sa peau, ses yeux, sa voix enjouée, son cancer, ses traitements de chimiothérapie.

— Je n'ai pas été capable, Louis. C'était trop pour moi. Je l'ai abandonnée. Elle a été hospitalisée pendant deux semaines. Je ne suis pas allé lui rendre visite. Je n'y suis pas arrivé. Quand elle a pu sortir, elle m'a quitté. Elle a passé la porte de l'appartement sans frapper. Elle ne frappait jamais, c'était chez elle. Elle a lâché : « Michel, c'est fini, tu sais pourquoi. » Tout bonnement. C'était tout ce qu'il y avait à dire. Elle a ramassé quelques affaires et elle est disparue…

— …

— Elle a retrouvé ses cheveux. Quelques mois plus tard, elle est venue chez le concessionnaire avec son nouveau petit ami. Je ne sais pas si c'était un hasard. Tout ce que je sais, c'est que je leur ai vendu une voiture et que Luce avait l'air bien.

— …

— J'étais content, Louis.

— …

— J'ai été con.

Des larmes coulaient sur ses joues. Je rangeai la camion-nette au bord de la route. Je le pris dans mes bras. Il me laissa faire. Il y avait longtemps que je n'avais pas senti de la chaleur humaine d'aussi près. Ça me faisait du bien à moi aussi. Après un moment, je relâchai mon étreinte. Je remis la musique avant de faire demi-tour pour revenir à Montréal. On était au bout de ce chemin-là. On le savait tous les deux.

On avait parcouru la Transcanadienne jusqu'aux abords de l'Alberta sans but. On n'avait même pas pris une photo de vache au bord de la route. Seuls les sacs en papier et les gobelets à café vides à nos pieds témoignaient de notre virée. On fila en silence jusqu'à ce que Montréal se dresse en face de nous.

— Merci, Louis.

— De rien.

-9-

Michel me déposa devant chez moi et repartit avec la camionnette. J'imaginai qu'il allait jeter les débris de notre *road trip* et rendre le véhicule à son patron.

Je restai dans l'entrée et le saluai de la main jusqu'à ce que le véhicule disparaisse au bout de la rue. Je me tournai vers la maison, j'hésitai, puis je me mis à avancer, les mains vides, les clés dans les poches, la tête ailleurs. Je contournai la maison beige par la droite, vers le cabanon. La porte ouvrit difficilement à cause du gel et du dégel. Je poussai la tondeuse pour faire un peu de place. Des effluves de gazon coupé mêlés d'essence me montèrent au nez sans m'incommoder. Je refusais d'entrer dans la maison. Mon fauteuil me répugnait et je n'avais pas touché à mon lit depuis que j'avais gagné à la loterie. Bob l'éponge gisait dans la piscine du gros Jean. Je me rinçai la figure avec une Molson Dry qui traînait sur l'établi pour me rafraîchir. J'avais besoin de prendre une douche, il aurait fallu que je me brosse les dents; tout ça était sans importance. Je m'endormis plutôt la tête sur une bâche bleue et les pieds entre les pattes de la table de patio que je n'avais pas sortie cette année-là.

Le lendemain, je fis de mon entrée dans la maison une cérémonie. Je sortis du cabanon et me traînai jusque sous le porche. Je pris trois profondes respirations et m'appuyai sur le cadre de la porte, que je déverrouillai lentement avant de l'ouvrir d'un geste théâtral. Si on avait été dans un film, une musique de suspense aurait retenti, puis rien ne serait arrivé. Il n'y aurait eu qu'un plan fixe sur la maison beige.

J'enfilai des gants à vaisselle et je fis un ménage colossal, après quoi je balançai mes vêtements à la poubelle. La maison était plus propre qu'elle ne l'avait jamais été, même du temps de ma mère et probablement aussi de ma grand-mère. Je sortis sur la terrasse arrière et j'ouvris une bière. La sonnette de la porte se fit entendre. Je me présentai dans l'entrée en tenue d'Adam. J'ouvris. Deux gars de FedEx se tenaient là avec d'immenses boîtes que je devinais remplies de coussins. Ils se dépêchèrent de me faire signer l'accusé de réception avant de déguerpir.

Je décachetai l'enveloppe insérée dans le sac de plastique collé sur la boîte.

Cher client,

Nous nous permettons de vous faire parvenir immédiatement la moitié de votre commande. Les deux cents autres coussins sont en cours de production et suivront sous peu. Par ailleurs, nous aimerions connaître l'utilisation que vous faites ou comptez faire de nos coussins. Si vous n'y voyez pas d'inconvénient, pourriez-vous s'il vous plaît nous joindre au numéro de téléphone indiqué ci-dessous pour en discuter?

Nous vous remercions à l'avance et vous prions de
recevoir l'expression de nos meilleurs sentiments.

Marie et Josiane

Cette fois, c'était Josiane. Ce n'était pas mission accomplie, mais, pour moi, c'était tout comme. J'avais reçu une lettre signée de sa main et elle avait cru bon de me demander de lui téléphoner. Un sentiment de fierté s'empara de moi et me libéra de la désolation qui me liait les mains. Je contins une envie de lever mon poing dans les airs en signe de victoire. Ce n'était pas le type de fantaisie auquel je souhaitais céder.

Je m'endormis dans mon lit, ce soir-là, avec un projet en tête. Je passai une partie de la matinée suivante à guetter l'heure sur la cuisinière. Dès que l'horloge indiqua 11 h, je fis trois grandes enjambées et attrapai le combiné du couloir.

— Oui… Bonjour… Est-ce que je pourrais parler à Josiane, s'il vous plaît ?

— Un moment.

— Bonjour.

— Josiane ?

— Oui.

— Louis Melançon à l'appareil.

— …

— Je vous ai acheté quelques centaines de coussins.

— Ah oui ! Bien sûr ! Monsieur Melançon. Heureuse de vous entendre.

— Pareillement, madame. Je me demandais si vous accepteriez d'aller prendre un café avec moi. Nous pourrions faire connaissance et discuter plus librement.

Mon invitation était fort probablement au-delà de ce que Josiane avait envisagé lorsqu'elle m'avait demandé de l'appeler. J'y étais allé de but en blanc en adoptant un ton qui se voulait confiant pour lui faire oublier qu'une conversation téléphonique aurait suffi. Je fus surpris qu'elle accepte avec entrain.

— Pourquoi pas! Je suis vraiment très curieuse d'en savoir plus. C'est un privilège de rencontrer quelqu'un qui apprécie autant notre travail. Vraiment. Merci mille fois. Du fond du cœur.

— Tout le plaisir est pour moi.

Je lui donnai rendez-vous dans un café du centre-ville le samedi suivant. Je consultai Internet. On était lundi. J'avais encore cinq jours à attendre. Mais qu'est-ce que j'allais bien pouvoir lui raconter?

-10-

J'avais pris soin d'enfiler mes vêtements les plus convenables. J'étais loin d'être beau, même dans une chemise et un pantalon repassé, mais j'avais les dents propres et les cheveux qui me restaient bien peignés. Je l'attendais. Je craignais qu'elle ne vienne pas, puis cette femme, d'à peu près l'âge qu'elle semblait avoir sur la couverture du magazine, entra. Elle était plus menue et plus délicate que sur la photo, mais elle regardait aux alentours, l'air de chercher quelqu'un. Ça ne pouvait être qu'elle.

— Ici !

Je levai timidement le bras pour manifester ma présence. Elle approcha et s'installa devant moi, sans trop savoir quoi dire. Elle comptait sur moi pour engager la conversation. Ses longs doigts blancs ne portaient aucune marque, aucun signe du contact avec les tissus résistants qu'il faut glisser de force sous l'aiguille. Une main prête à enfiler un gant de satin, qui pianote nerveusement sur une table de bistrot chargée de paniers de pain et de confiture. J'ouvris la bouche pour commencer à parler et tout mon corps sembla donner une poussée pour m'aider.

— Je suis heureux de vous rencontrer.

C'était peu, j'en étais conscient, mais dans les circonstances, j'étais satisfait.

— Moi de même! Je suis surtout impatiente d'en savoir plus au sujet du projet qui requiert tous ces coussins dépareillés! J'ai essayé de penser… Un restaurant? Un hôtel? Je suis si intriguée! Je retourne la question dans ma tête depuis des semaines. Nous avons une vaste clientèle, croyez-moi. Mais je vous avoue que je suis actuellement devant mon meilleur client! Et de loin!

— Ah! Eh bien, vous serez peut-être déçue.

— J'en doute! Pourquoi?

— Rien. Je ne sais pas. C'est tout.

— Allez. Dites toujours.

Josiane souriait, convaincue que je feignais mon hésitation pour titiller sa curiosité encore un moment. Son regard était suspendu au mien.

— Je les collectionne.

Josiane émit un gloussement nerveux.

— Vous les collectionnez?

— Oui. Je les collectionne. J'adore les collections. Surtout d'objets aussi beaux.

J'avais concentré tout l'aplomb du monde dans ces quelques mots. Mon aveu, pourtant si embarrassant, avait dissipé la tension qui s'était installée entre Josiane et moi depuis le début de notre rencontre. C'était comme si l'innommé n'avait pas sa place dans un tel bain de vérité. J'enchaînai, encouragé par le silence de Josiane, grisé par cette

folie que je courtisais de plus en plus. Je lui parlai du magazine, de Jack, de cet atelier de mécanique qui me plaisait
tant et qui inspirait en moi des rêves d'adolescent. Elle
m'écoutait avec ce qui semblait être un intérêt sincère, puis
elle posa sa main sur la mienne d'un geste sec.

— Vous êtes touchant, Louis. Mais les gens com-
mandent des coussins pour meubler des chambres d'enfant, des salons de beauté, des salles de réception, vous
comprenez ? Je dois coudre pour des raisons légitimes. Si
c'était de l'argent que je voulais, je n'aurais pas choisi de
fabriquer des coussins à la main. Il faut de trente minutes
à une heure pour en faire un, selon la complexité du
modèle. Je vous laisse imaginer la maigreur de nos profits.
Je le fais par passion, par amour pour le tissu, le fil et le
métier. Je n'ai pas de temps pour vos divagations. Cessez de
nous passer des commandes.

Elle se leva d'un bond et quitta le restaurant. Son parfum
flottait encore dans l'air. Je le humai calmement jusqu'à ce
qu'il se dissipe, terminai mon café et rentrai tranquillement
chez moi. Je me permis de lui envoyer une note.

Chère Josiane,

*Merci d'avoir pris la peine de venir me rencontrer. Je
comprends votre réaction. Je ne prétends rien, surtout pas
à la normalité. Et je ne m'étonne pas que mon comportement puisse susciter des sentiments ambivalents. Mais
je me permets de vous demander si vous accepteriez de
me livrer un dernier coussin. Avec un imprimé de Bob
l'éponge.*

LM

-11-

Je baignai quelques jours dans un sentiment de ridicule assumé. Loin de me morfondre, je savourais ce que je qualifiais de bravoure et je cédais à l'étrangeté, celle de mes derniers choix, celle des émotions qui me tenaillaient. Michel me manquait. Cela m'étonnait autant que ma réaction aux derniers événements, mais je ne remettais plus mon instinct en question. Je me permis de lui donner un coup de fil.

— Pourrais-je parler à Michel, s'il vous plaît ?

— Michel ne travaille plus ici.

— Ah. Désolé de vous avoir dérangé.

Je raccrochai. Surpris. Je ne demandai ni pourquoi il était parti ni s'il travaillait ailleurs. Je me traînai jusque sur le sofa beige pour reprendre mes esprits. Il y avait longtemps que je ne m'étais pas assis dessus. J'avais oublié à quel point il était défoncé. Mes genoux étaient plus hauts que le bas de mon dos, m'enfermant dans cette position. Peu m'importait. Le temps filait sans que j'intervienne, que ce soit pour le retenir ou pour le chasser. Je n'avais rien à faire, nulle part où aller. Je pouvais aussi bien être là plutôt qu'ailleurs.

La sonnette retentit sans que je réagisse. Je songeai brièvement à me lever, puis j'y renonçai. J'étais cloué sur place. Je ne voulais pas faire l'effort de quitter ma posture. C'était peut-être Michel, me disais-je pour essayer de me convaincre d'aller ouvrir. Et puis non, si c'était Michel, il entrerait sans attendre. On était des amis, maintenant. Il m'avait raconté Luce, il m'avait aidé à déverser la cargaison de coussins dans la piscine du gros Jean, sans même demander où nous étions, il était allé virer jusqu'à la frontière de l'Alberta avec moi. Il entrerait sans frapper.

Un homme en uniforme s'approcha de la baie vitrée, les mains en visière de chaque côté de la tête pour atténuer le flot de lumière. Je l'entendis crier quelque chose à peu près au même moment où on ouvrit la porte de force. Avant que j'eusse le temps de comprendre ce qui se passait, deux agents de la paix se tenaient debout devant moi, inerte sur le sofa beige.

— Monsieur Melançon, vous êtes en état d'arrestation. Vous êtes accusé de méfait pour avoir détérioré le bien d'autrui.

Les deux policiers attendaient, espérant que je me mette debout pour les suivre au poste. Je restai plutôt enfoncé dans le sofa, immobile, les mains sur les genoux. Les deux hommes se jetèrent un coup d'œil puis attrapèrent chacun un de mes avant-bras pour me sortir de là et me guider jusqu'à la voiture de police. Je les suivis docilement.

Au poste, je refusai l'offre qu'on me fit d'appeler un avocat. Ils m'installèrent sans insister dans une pièce sombre et exiguë. Avant mon gain à la loterie, le temps se serait étiré. J'aurais balancé la jambe, tapé du pied sur le sol. J'aurais pensé à mes dossiers clients, impuissant devant les délais, incapable d'appeler mon patron pour faire le suivi. Je me serais tour à tour assis sur la chaise de métal, dans le coin de la pièce, puis levé pour faire les cent pas.

Cette fois-ci, j'étais assis sans compter les minutes, sans me demander combien d'heures encore. Au contraire, la pièce aseptisée me plaisait. Elle me changeait de la maison beige. Elle me rappelait la petite école. Il ne manquait que le gros Jean, qui m'aurait traité de fils à maman. Il ne manquait que Michel, qui aurait fait preuve d'indifférence. J'étais seul avec ce temps qui n'en finissait plus de filer.

Jack aurait sorti de son sac à dos des aiguilles à tricoter et des pelotes de laine. Il aurait confectionné une écharpe aux couleurs des Canadiens de Montréal pour emplir les bas de Noël de ses trois enfants. Ses années de fuite pour quitter une Pologne qui lui était devenue hostile ne lui auraient pas laissé de goût amer. Les vieilles dames qui l'avaient accueilli chez elles et qui l'invitaient à s'asseoir parmi elles pendant qu'elles tricotaient en silence auraient gravé dans sa mémoire une douce mélancolie. Pour lui, il n'y aurait eu ni temps qui passe, ni temps qui s'arrête, ni temps qui se perd. Seulement une aiguille qui en croise une autre, un fil qui l'entoure et un foulard bleu, blanc et rouge.

C'était un drôle de hobby que je prêtais à Jack. On ne s'attendait pas à un tel passe-temps de la part d'un homme comme lui, mais c'est ce qui le différenciait, justement. Il était inclassable. Comme tous les grands hommes. Je m'abandonnai à imaginer d'autres de ses habitudes. Des oiseaux rares nichaient sur son toit. Il les attirait avec une variété infinie de graines qu'il commandait sur Amazon, à l'insu de son épouse. Il construisait des mangeoires qu'il emplissait de mélanges de graines et qu'il cachait dans le jardin pour lui faire croire qu'ils venaient chez eux pour la voir.

— *Birds of a feather flock together.*

C'était tout l'anglais qu'il connaissait. Peut-être avait-il entendu cette phrase dans la bouche d'un client du garage. Peut-être avait-il, comme moi, lu *Les Aventures de Tom Sawyer* en version originale, à la demande d'un de ses enseignants d'anglais langue seconde. Je ne connaissais pas le parcours scolaire polonais.

Quoi qu'il en soit, je lui levais mon chapeau. J'étais le dernier d'entre tous les hommes qui aurait imaginé un tel stratagème pour courtiser une femme. Maryse s'en était plainte une fois ou deux, au tout début de notre mariage, avant de s'enfermer dans un épais silence d'abdication.

Je n'eus pas le loisir de me remémorer davantage l'échec de notre relation. Les policiers vinrent me chercher. Ils me firent signer des documents et me relâchèrent.

— Vous voulez qu'on vous ramène en voiture?

— Non merci.

Je rentrai à pied, dans mes pantoufles, indifférent au temps qu'il me faudrait pour regagner la maison beige.

En me rendant au palais de justice pour ma comparution, j'essayai de me convaincre que c'était une journée comme les autres. Les jours qui avaient suivi mon gain à la loterie ne ressemblaient en rien à ceux qui l'avaient précédé. Plaider coupable à une accusation de méfait pour avoir détérioré la piscine du gros était devenu pour moi une activité comme une autre. Ce ne serait d'ailleurs pas sorcier : je n'aurais qu'un mot à prononcer. Je le martelais dans ma tête autrement vide. Coupable.

Admettre ma culpabilité était la bonne chose à faire, mais une partie de moi aurait préféré se tirer de là de manière plus élégante. J'essayai de me mettre dans la peau de Jack. Lui savait s'arracher à la banalité avec un juste dosage d'audace et de libre arbitre, sans jamais trébucher. Je souhaitais que son aura s'empare de moi et me dicte comment agir, mais rien ne me vint à l'esprit. Je choisis de me faire le plus petit possible pour attendre que les procédures s'engagent d'elles-mêmes.

La juge lut l'acte d'accusation. Elle me regardait de haut, sans que je m'en offusque. L'habitude, probablement, ou alors la lassitude. Je me perdis quelques secondes encore dans le gouffre de mes réflexions.

— Monsieur, vous devez enregistrer votre plaidoyer.

— …

— Votre plaidoyer, je vous prie.

— Coupable.

Un bref silence s'installa dans la salle d'audience, puis le procureur de la Couronne se leva pour réclamer une peine de vingt-cinq heures de travaux compensatoires. J'avais récemment gagné plusieurs dizaines de millions à la loterie : se contenter de me mettre à l'amende aurait l'effet d'un pétard mouillé. Et puis, un crime loufoque n'en demeurait pas moins un crime. J'avais rempli une piscine de coussins : « Madame la juge, ce n'est pas rien ! » Il avait fallu embaucher une équipe de nettoyage après sinistre, louer une remorque, trimballer la mousse détrempée jusqu'au dépotoir, nettoyer la piscine. Alouette !

Le procureur s'enflammait à mesure qu'il parlait. Il appuyait de plus en plus exagérément sur la première syllabe de chacun des mots qu'il prononçait pour marquer sa désapprobation. Lorsqu'il fit une pause pour dégager la mèche qui glissait derrière ses lunettes, la juge sembla en avoir assez entendu. Elle prit la parole pour me demander si j'avais quelque chose à ajouter. Je m'imposai une réflexion de quelques secondes avant de conclure que non.

— N'ayez crainte, je ne vous demanderai pas vos motivations. Après vingt ans de magistrature, j'ai renoncé à comprendre bien des choses. Je vous rappellerai seulement que des services de soutien sont offerts au CLSC de votre quartier.

J'allais devoir nettoyer des graffitis dans le quartier Saint-Henri et verser quelques milliers de dollars pour

dédommager le gros. Je me retrouverais avec un casier judiciaire. Je n'en avais absolument rien à faire. Jamais plus je
ne chercherais un emploi, jamais plus je ne demanderais
du crédit, jamais je n'irais vivre à l'étranger. Ces nouvelles
certitudes remplaçaient lentement celles qui ne cessaient
de s'évanouir depuis mon gain et j'en étais reconnaissant.
Je rentrai chez moi revigoré par l'expectative d'une journée
de travail.

-13-

Mon premier quart ne devait avoir lieu que dans deux semaines. J'avais donc une quinzaine de jours à errer dans la maison beige avant d'entreprendre la tâche qui m'avait été assignée. Je repris ma veille au salon. Mes incursions dans le couloir, à la cuisine et à la salle de bains demeuraient fonctionnelles, même si j'étais un peu plus alerte qu'avant mon arrestation. Je tournais en rond. J'arpentais l'espace, osant espérer un appel, une visite inattendue de Michel, une livraison de FedEx, quelque chose qui m'aurait raccroché au reste du monde. C'est le téléphone qui sonna en premier.

— Louis ?

— Lui-même.

— Vous êtes odieux, rien de moins.

— Pardon… Qui parle ?

— Josiane.

— Josiane ! Je suis ravi de vous entendre.

— Comment osez-vous ? Je ne vous appelle pas pour vous faire plaisir, seulement pour vous dire que vous êtes ridicule. Ne vous méprenez surtout pas : ce n'est pas parce que vous êtes dans le journal que vous êtes un héros.

J'oscillai un bref moment entre la déconfiture et la dérision. Aucune de ces options ne me semblait convenable. Je cherchai une autre avenue. Je m'étais toujours tenu loin du mensonge, par principe et par conscience, mais la droiture de Jack et la rigueur du Dieu de ma mère n'avaient jamais été pour moi des sources de plénitude. Au stade où j'en étais, je renonçai sans peine à ces dernières parcelles de dignité. Ce n'était certainement pas l'étoile montante de l'artisanat qui m'en voudrait de vouloir embellir la réalité !

— De quoi parlez-vous, au juste ?

— De nos coussins dans la piscine, quoi d'autre ? Les policiers sont venus nous interroger il y a quelques semaines, sans nous révéler toute l'histoire. Jamais je n'aurais imaginé !

— Mais voyons, je n'ai rien à voir là-dedans. J'offrais vos coussins à l'Armée du Salut à mesure que je les recevais. Mon but a toujours été de faire le bien, autant à Marie et à vous qu'aux bénéficiaires des organismes auxquels j'ai remis les coussins. Quand les policiers m'ont arrêté pour cette histoire de rembourrage dans une piscine à Saint-Ignace-de-Loyola, j'ai choisi de porter le blâme, d'épargner le vrai coupable. J'ai de l'argent, du temps. Appelez-moi le nouveau Robin des Bois !

— Robin des Bois, mon cul.

Josiane raccrocha sec. J'avais manqué d'égards pour les efforts qu'elle et Marie avaient déployés afin de fabriquer les coussins à la main et de les livrer dans les délais. Je le comprenais. Elle me l'avait d'ailleurs bien exprimé lors de notre rencontre. L'argent que je leur avais versé en échange ne compenserait jamais le respect que je devais à leur travail. Je le savais mieux que personne, mais les impératifs de ma propre vie s'imposaient à moi. J'allongeai le bras pour attraper ma tablette. L'article du journal relatait que Louis Melançon, un homme nouvellement millionnaire, avait été reconnu coupable d'avoir rempli une piscine de coussins. Les policiers avaient remonté la filière jusqu'à l'entreprise de Josiane. Mon rire franc emplit la maison beige. Je ne l'avais pas entendu depuis l'enfance. C'était peut-être même la première fois que j'entendais mon rire d'homme. Mon état frôlait le délire, rapprochant ce qui n'avait jusqu'alors été qu'apathie et isolement d'un trouble schizotypique. Ma fierté déplacée contaminait l'immensité de mon temps à la vitesse d'un virus foudroyant. J'assumais pleinement mes actes.

Si on admettait que le ridicule ne tue pas, j'étais devenu le héros que Josiane me défendait d'être. Abdiquer toute dignité était libérateur. Jack me semblait ridicule, coincé dans sa droiture et sa modestie, avec son garage miteux dans le Sud-Ouest, temple des miséreux et des gagne-petit, avec son tricot et ses oiseaux exotiques. J'étais riche à craquer. La nouvelle me frappait enfin. J'avais le goût d'appeler Michel pour aller prendre un verre sur la *Main*, lui dire de sortir le complet qu'il avait le jour où il m'avait vendu ma voiture, de lisser ses cheveux, de passer me prendre dans sa voiture qui sent le neuf pour qu'on s'enferme, endimanchés, dans cette fétidité que je me surprendrais à aimer. J'aurais les oreilles pleines de musique électronique, le cœur libre de ma mère et de son Dieu, la tête ailleurs, là où Jack ne m'inspirait pas et où je me sentais invincible. Je composai le 4-1-1 pour retracer Michel.

— C'est pour une recherche d'adresse, s'il vous plaît.

— Quelle ville ?

— Longueuil.

Je m'entêtais à présumer qu'il habitait là-bas. Je ne fus même pas étonné que la téléphoniste me fournisse presque immédiatement son adresse. Je roulai jusque chez lui. Dans le vestibule de son immeuble, j'appuyai sur le bouton de son appartement.

— Oui.

— Michel ! C'est Louis.

— Louis ?

— Oui.

— Monte.

Michel m'attendait à l'étage, impassible dans l'embrasure de sa porte. Je voyais son appartement par-dessus son épaule. Les lieux étaient simples. Un sofa en similicuir était posé au centre. Autrement, des bibliothèques bondées de livres de toutes sortes se dressaient sur chacun des murs. Chaque livre y était à sa place. Michel avait l'air de venir de faire une sieste. Il avait les yeux mi-clos et les cheveux aplatis.

— Écoute, tu tombes mal. Je ne me sens pas super bien.

— Dommage…

— …

— J'ai pensé qu'on pourrait aller prendre un verre.

— …

— Allez… Ça va te changer les idées.

— Non merci, Louis.

Michel me demanda poliment de le laisser seul. Je rentrai chez moi, refroidi par sa réaction. Il n'en avait pas fallu beaucoup pour me dégonfler. Je m'enfonçai dans le sofa beige et pleurai amèrement pour la première fois depuis mon gain, depuis aussi loin que je me souvienne, même. Mon incursion dans le monde du bonheur avait été de courte durée et mon atterrissage n'en était que plus violent. Quelques heures de ce régime et je sombrai de plus belle dans le gouffre de ma vie. Il me vint une envie compulsive de prier, que je réprimai du mieux que je le pus, souhaitant retrouver l'euphorie dans laquelle le rejet de mes ancrages m'avait plongé quelques heures auparavant. Une vision de ma mère, agenouillée comme la Vierge, s'imposait à moi. Je m'étendis de tout mon long. Le sommeil était ma seule véritable issue.

-14-

Je traînai les pieds du salon à la cuisine pour me faire un café, l'horaire de mes travaux compensatoires glissé dans la poche de mon pantalon. J'espérais que son contact me projetterait dans mon état de la veille, mais je ne savais que trop bien que trois malheureuses journées de travaux forcés n'auraient plus cette emprise sur moi. J'étais obnubilé par le son de l'écoulement du café. Mon cerveau était empâté, incapable de calculer le temps qu'il restait entre maintenant et dans deux semaines, encore moins entre maintenant et mon jour dernier, une notion qui me semblait aussi floue que l'écart entre zéro et cinquante-quatre millions. Je ne parvenais plus à m'approprier quelques réalités, sinon celle de Michel, mon ami, tétanisé sur le pas de son appartement bondé de livres. Il avait l'air aussi brisé que moi, qui l'avais bêtement imaginé devant Netflix, une demi-pizza aux lèvres. J'espérais qu'il débarquerait chez moi, me rassure à propos de son état et me tire de mon errance.

Le temps s'envola sans que je puisse le jauger. Mon café s'était transporté de la cafetière à ma tasse, de la cuisine au salon, puis était passé de chaud à froid sans être bu.

Le téléphone retentit enfin dans le couloir, exauçant mon vœu, me transportant vers une possible délivrance. C'était Michel.

— Louis. Peux-tu venir me chercher ?

— J'arrive.

Je sautai dans ma voiture pour filer à Longueuil et remettre mon désespoir entre les mains de mon ami. Il m'attendait dehors, un sac à la main, avec le même dessein. La noirceur approchait. Il balança ses quelques affaires sur la banquette arrière et s'engouffra dans ma voiture. Il me demanda laconiquement de prendre la 20. J'étais heureux qu'il n'engage pas la conversation et se limite à me donner des instructions. Je cherchais à garder contenance et comptais sur sa présence pour y parvenir. Il comptait aussi sur la mienne, sinon il aurait pris sa propre voiture et aurait fait la route tout seul. Cette conviction me réconforta un peu.

Michel et moi n'avons pas mis de musique. Du silence n'émergeait rien. Il n'y avait que lui et moi, côte à côte, entre deux portières, sur l'autoroute. La respiration de Michel enterrait la mienne. L'ongle de son majeur s'acharnait sur la couture de son jeans pendant que le mien creusait vainement dans le caoutchouc du volant.

Le ronronnement du moteur. Berceuse pour adulte. Maman, te souviens-tu ? Te souviens-tu de m'avoir assis là, dans le siège pour enfant, d'avoir mis la clé dans le contact et d'être passée derrière le volant, en pantoufles et en robe de nuit, pour faire le tour du pâté de maisons dans l'espoir d'apaiser mes coliques ? T'en souviens-tu ? Tu m'as souvent raconté le miracle du tremblement de l'habitacle. Le petit qui cesse de chigner, qui s'endort à poings fermés et qu'on

doit se contraindre à réveiller en priant pour que le sommeil ne le quitte pas complètement avant qu'il retrouve son
lit.

Peut-être Michel pensait-il à sa mère, lui aussi. Ou plus
vraisemblablement à Luce. Son silence était si écrasant que
je n'en savais rien. Je pensais à mes affaires et le laissais penser aux siennes.

— Tu me dis quand tu veux que je prenne une sortie ?

Aucun son ne s'échappa de sa bouche. Je continuai de
regarder devant, sans attendre de réponse.

-15-

Le bruit des pneus sur le gravier fit sursauter Michel. Il y avait longtemps que la nuit était tombée et les chambres des motels, dans les villages en bordure de la route, m'appelaient. Je descendis du véhicule sans mot dire. Une fille somnolait à la réception. Une menthe trouvée dans un plat près de la caisse enregistreuse fondait déjà sur ma langue pendant que je réglais le prix des deux chambres. On se serait cru dans les années 1980. Ça sentait le cendrier mouillé et la caisse émettait des bruits d'une autre époque. J'eus peur que la fille à moitié endormie ne se casse un doigt sur les touches raides, mais ce furent miraculeusement ses mains intactes qui me rendirent la monnaie.

Je lâchai la clé d'une des chambres sur les genoux de Michel et me dirigeai vers l'autre. Au matin, je revins m'asseoir dans le véhicule pour attendre Michel. Je fus étonné de voir qu'il était déjà là. Il lisait. Deux autres livres jonchaient la banquette arrière. J'ignorais s'il était allé à sa chambre ou s'il avait passé la nuit dans la voiture. Je n'osai pas le lui demander. Il ne sentait rien, ni bon ni mauvais. Il ne disait rien. Moi, je sentais le savon de pacotille et j'avais le verbe plus facile que de coutume. Je me mis à décrire la chambre, les ressorts lâches du lit, le jet irrégulier de la douche. J'avais le cœur plus léger que la veille. Je proposai à Michel de commencer la journée de la façon qui était devenue la nôtre.

— On va chez Tim Hortons?

— Oui.

Michel n'avait pas perdu la voix.

Deux énormes cafés embaumaient la cabine. Ça sentait le matin, le garage de Jack, quand les mécaniciens entrent un derrière l'autre et échangent quelques mots sur l'actualité en enfilant leurs salopettes bleu marine délavées. À la sortie du service à l'auto, je rangeai la voiture sur l'accotement et me tournai vers Michel.

— On continue?

— Oui.

— À une condition.

— Laquelle?

— Tu es client de la caisse pop?

— Oui.

— Viens.

On passa ensemble sous le panneau lumineux vert et blanc. Je n'avais toujours rien à dire, rien à demander, mais j'avais de quoi me rendre utile. On vira cinquante mille dollars sur son compte. Même sans pouvoir évaluer l'ampleur de mon gain, je savais qu'il s'agissait d'une infime fraction de la somme. De retour derrière le volant, je jetai un bref regard vers Michel. Un sourire s'était dessiné sur son visage. Un coup d'œil dans le rétroviseur me laissa voir que sur le mien aussi.

Une ambiance paisible s'installa tranquillement entre nous. Un transfert bancaire, c'était peu, au fond, mais ça s'apparentait étrangement à du sang qui venait d'être transfusé dans nos veines. Je conduisais vers je ne savais où, sans interroger Michel sur le but de notre voyage. Tout ce que je savais, c'était que, cette fois-ci, on n'était pas partis sur un *nowhere*.

— Prends à droite, ici.

Michel me guida à travers les routes et me demanda de garer la voiture devant une petite maison en bois jaune, encerclée d'une galerie qui parvenait presque à la rendre élégante. Le vent du Saint-Laurent embaumait les lieux sans qu'on puisse apercevoir le fleuve de là où nous étions. Il descendit. Je le regardai marcher vers la porte principale. Les lieux lui semblaient familiers. Il avançait d'un pas lent mais volontaire, prenant un raccourci sur le gazon en étirant le cou pour voir par la fenêtre du salon. J'ignorais ce qu'il voyait d'où il était, mais, moi, j'apercevais une jeune femme tenant un bébé contre son épaule. Michel sonna. La femme et le poupon quittèrent le cadre de la large fenêtre, sans doute pour faire entrer mon compagnon de route, puis il disparut, lui aussi, laissant derrière lui le temps qui s'étirait lentement, rafraîchissant l'air sur son passage. Mes ongles s'enfonçaient de nouveau machinalement dans le caoutchouc du volant. Je suppliais mes mains de se décontracter. Mes plaintes se faisaient entendre quelques instants puis se perdaient dans l'abîme. Je me mis à prier sans m'en rendre compte. Je parlais au Dieu de ma mère, mais je visualisais Jack. Une phrase sortait du passé pour s'imposer à moi tel un requiem : « Pardonnez-nous nos offenses comme nous pardonnons aussi à ceux qui nous ont offensés. »

C'était peut-être Monique, mon enseignante de deuxième année, qui me l'avait fait écrire cent fois parce que j'avais fait une jambette involontaire à un camarade de classe, ou le curé qui a enterré ma mère qui l'avait imprimée dans ma tête à côté de l'image indélébile du cercueil qui se refermait sur sa vie entière, sur ma vie de fils, sur les mots qui n'avaient pas été assez dits. « Vous êtes bénie entre toutes les femmes. » Mes ongles s'enfonçaient plus encore dans le volant. J'ordonnai à mes doigts de se décrisper. Ils avaient commencé à rosir. J'attribuai leur raideur à la fraîcheur qui s'infiltrait de plus en plus et mis le moteur en marche. J'appuyai sur le bouton du chauffage et sur celui de la radio pour occuper mes doigts. Une vieille chanson française perça à travers un grincement désagréable. Je changeai de chaîne. La voix nasillarde d'un animateur mit fin à mes prières. Il y avait un bingo au village ce soir-là. J'y emmènerais Michel s'il finissait par sortir de cette maison.

Je redressai le dos pour regarder de nouveau par la fenêtre. Le soir tombait. L'éclairage à l'intérieur de la maison mettait de plus en plus en valeur la scène qui se déroulait entre les étroites bandes de voilage qui décoraient le contour de la fenêtre. Michel tenait maintenant le poupon fermement. Il tournait en rond sur lui-même, le dos courbé pour lover l'enfant sur sa poitrine. La femme était assise sur un pouf, la tête entre les mains. J'aurais juré qu'elle pleurait. Après un moment, elle se leva. Elle semblait supplier Michel de lui rendre l'enfant. Elle tournait à son tour autour de lui, les bras tendus. Je laissai ce curieux carrousel étourdir mes pensées pendant qu'un vieux tube de Martine St-Clair jouait à la radio. La femme sembla cesser d'espérer

que Michel lui rende le poupon puis se jeta sur eux en asse-
nant des coups de poing dans le dos de Michel qui tournait
toujours sur lui-même, courbant de plus en plus l'échine.
Elle s'affola. Défigurée par les cris et la colère, elle poussait
Michel dans tous les sens. Le trio s'effondra sur le sol. Je ne
les vis plus. Martine St-Clair ne chantait plus. Je ne souhaitais pas intervenir, c'était une règle tacite entre Michel et
moi, mais ni elle ni lui ne réapparaissaient dans le cadre de
la fenêtre. Après un moment, je crus devoir me diriger vers
la maison. J'entrai sans prévenir. Michel et la femme étaient
tapis dans un coin, immobiles, le poupon entre eux. Seul
celui-ci ne sanglotait pas. Je me permis de le soulever du
sol et de l'emmener dans la pièce adjacente. Un fauteuil à
bascule et une table à langer la meublaient sommairement.
Je ne trouvai rien de mieux à faire que de m'asseoir pour
bercer l'enfant. Il n'y avait aucun son dans la maison, sinon
celui du mouvement régulier de la berceuse sur le sol. Le
carillon sonna 19 h. Je n'entendis pas Michel s'approcher.
Il apparut pourtant là, devant moi. Il semblait s'être calmé.
Je lui rendis l'enfant et quittai la maison pour retourner
attendre dans la voiture.

Quelques minutes plus tard, il était de nouveau à mes
côtés, sur le siège du passager. Je posai une main sur son
épaule.

— On s'en va?

— Oui.

— Je t'emmène quelque part.

Je roulai jusqu'à l'église et traînai Michel dans les marches
qui menaient au sous-sol. Chacun de nous acheta deux

cartes. Après une quinzaine de minutes de jeu, je vis une série de pastilles transparentes couvrir entièrement la colonne sous le G d'une des cartes de Michel, qui demeurait sans voix. Il écoutait les lettres et les chiffres et posait machinalement des rondelles sur les cases. Je m'interdis de crier «bingo!» pour lui. Encore ce pacte silencieux qu'on avait fait de ne pas s'immiscer dans les affaires l'un de l'autre.

On continua de couvrir nos cartes respectives en suivant les instructions prononcées d'une voix frêle à laquelle le microphone désuet donnait un timbre presque comique. «B-10.» «G-48.»

— On sort prendre un verre, Michel?

J'avais lancé l'idée négligemment pour nous forcer à sortir de l'inertie qui nous gagnait. Sans rien imaginer: ni qu'il acquiescerait, ni qu'il refuserait. Il accepta.

On roula de nouveau en silence sur quelques kilomètres avant de trouver un pub dans ce qui semblait être le centre du village. On se dirigea vers le bar. Un vieil homme s'acharnait sur une machine à sous sans arriver à en extraire quoi que ce soit. J'envisageai de vider mes poches devant lui mais je m'en gardai, me concentrant plutôt sur mon compagnon.

— Tu sais que tu avais un bingo, Michel?

— Oui.

— …

— Ce n'est pas la première fois que je laisse passer ma chance.

Je ne relevai pas sa boutade. Je me fis plutôt un devoir de rester dans la thématique et de justifier notre présence à cet endroit en évoquant la succession d'événements qui nous y avaient menés.

— Deux B-52, s'il vous plaît.

Après quelques tournées de shooters, Michel et moi commandâmes chacun une bière et allâmes nous asseoir dans un coin du bar. Il faisait sombre. L'éclairage se limitait principalement au néon de l'enseigne « Coors Light » et à la lumière qui indiquait la sortie de secours. Le silence régnait entre nous, comme d'habitude, sauf que, cette fois-ci, il était porteur d'un malaise, à peine dissipé par les vapeurs d'alcool. L'un de nous allait devoir le rompre en proposant un sujet de discussion, même dérisoire, en s'ouvrant les veines ou quelque chose entre les deux. J'attendais que Michel choisisse la voie. Je souhaitais que ce soit en me parlant de la femme et de l'enfant, mais je n'avais que peu d'espoir. N'importe quel mot ou geste de sa part suffirait.

Il hésitait. Si je me fiais aux mouvements de son larynx, il allait ouvrir la bouche, puis il y renonçait. J'allai au bar pour chercher deux autres bières. À mon retour, je posai la sienne devant lui d'un mouvement un peu trop appuyé. Je me rassis ensuite en prenant sciemment un air un peu trop sérieux.

— Tu veux savoir c'est qui la fille, c'est ça? Je t'ai demandé, moi, c'était quoi, tous ces coussins? Et puis, c'était quoi, le *trip* de les enfoncer dans une piscine?

— …

— Non. Pourquoi ? Parce que je me mêle de mes affaires. Ça ne me regarde pas. Tu comprends ?

— Oui. J'aimerais savoir c'est qui, la femme. La seule dont tu m'as déjà parlé, c'est cette Luce, qui a été malade. Je me demande si c'est elle. Mais tu as raison : ça ne me regarde pas.

— On a raison, tous les deux ! C'est génial, non ? J'ai raison de dire que ce n'est pas de tes affaires, et tu as raison, toi aussi : c'est elle. Et puis tu veux savoir ? Le petit, c'est le mien.

— …

— Luce et moi, on était allés en clinique de fertilité avant qu'elle commence ses traitements. Ils nous avaient dit qu'elle deviendrait peut-être infertile. Ils ont fécondé ses ovules avec mon sperme. Il y avait quoi… Cinq ou six embryons…

— …

— On s'est quittés, comme tu sais, et elle a guéri. Elle est redevenue belle, libre, indépendante. La Luce dont j'étais tombé amoureux, celle qui ouvrait la porte de notre appartement de la Rive-Sud comme s'il s'agissait d'un château, qui me faisait croire que ma vie était extraordinaire, plus que parfaite, et dont la maladie m'a renvoyé à ma solitude, à ma vie minable. Je n'ai même pas été capable de lui rendre un peu de ce qu'elle m'avait donné. Je n'étais rien sans elle. Tu comprends ?

— …

— Elle ne m'a jamais rappelé ni contacté. Elle avait de la dignité ; rien à voir avec moi.

— …

— Un jour, c'est son chum qui m'a passé un coup de fil. «Écoute, vieux, Luce ne peut plus avoir d'enfants à cause des traitements… On est très amoureux… J'imagine que tu me vois venir.» Ben non! Je ne le voyais pas venir. «Elle voudrait porter un des embryons. Il faudrait que tu ailles à la clinique avec elle… Pour signer quelques papiers.»

— …

— J'ai accepté, bien entendu. Faible, mais pas trou de cul.

— …

— Ça fait que non. J'ai pas crié «bingo!». J'ai toujours fermé ma gueule, c'est tout ce que j'ai su faire. Je ne me défoncerai pas pour cinq cents piastres, certain!

Il avait parlé plus longtemps que jamais auparavant. C'était avec fougue et en se tournant vers moi qu'il l'avait fait. Je ne m'étais jamais livré à quiconque, pas même à Maryse le jour où elle m'avait annoncé son départ, ce jour où j'avais croulé sous la jalousie. Ce jour-là, moi, je lui avais parlé de Noël. J'avais manigancé pour la garder quelques jours de plus sans le lui demander, sans lui dire comment je me sentais, tout comme je m'étais bien gardé de me confier à ma mère peu après mon divorce, dans l'odeur du poulet rôti qui embaumait son petit appartement de la rue Berri.

J'avais vécu ma vie sans parler, sans questionner, sans rien savoir, finalement. Je n'avais qu'imaginé : la vie de Michel, celle de Josiane, celle de Jack. Je vivais suspendu dans un néant au fond duquel mon gain ne m'avait que projeté. Je ne savais pas quoi répondre à Michel, quoi faire de son récit. J'avais le goût de parler, moi aussi, de ma compassion à tout le moins, mais les mots refusaient de venir et je continuai de me taire. Je serrai les dents sur ma sollicitude, le cœur lourd. Que je l'aimais, ce Michel, avec son passé trouble, sa pudeur! Je me fis la réflexion qu'il avait une histoire. Même si elle était triste, c'était mieux que de ne pas en avoir du tout. Je me retins de lui dire que je l'enviais. Ce n'était pas le moment.

-16-

Ça pua le lendemain de veille dans la voiture jusqu'à Rivière-du-Loup. On était écrasés par les relents d'alcool. Je ne sais pas si c'est pour ça que Michel ne versa pas une seule larme, ni avant d'entrer dans le bureau du notaire, ni au moment d'en ressortir presque tout de suite après, comme si de rien n'était, comme s'il s'était arrêté chez des étrangers pour demander un verre d'eau, ni tout au long du chemin du retour, sur cette même autoroute 20, dans ce même silence, plus léger qu'à l'aller, parce que le poids des mots avait été abandonné sur la table de mélamine de la taverne du village, parce qu'une page tournée est moins douloureuse qu'une page qu'on s'apprête à tourner, parce qu'on s'habitue à la misère.

J'imaginai que Michel avait signé sans fléchir la déclaration sous serment que Luce avait fait préparer; qu'il avait nié, la tête haute, avoir eu l'intention de devenir père. Il n'avait été qu'un donneur.

Je me retins de prendre sa main dans la mienne pendant tout le trajet. Je priai ma mère de le faire pour moi. Elle avait ce don, je le savais, de convaincre que tout allait être correct. « Ça va aller, mon beau. Regarde. Si tu souffles fort, le bobo va s'envoler. Souffle. Allez. Encore une fois. Tu le vois, là-bas ? »

— Souffle, Michel. Fais comme moi.

Je prononçai cela naturellement, presque sans m'en rendre compte, puis je me mis à prendre d'amples bouffées d'air et à les expulser de mes poumons avec toute la force dont j'étais capable. Michel voulut bien m'imiter. On soufflait comme des fous, sur l'autoroute, dans la voiture qui sentait encore plus le fond de tonne.

-17-

Je rentrai dans la maison beige. Je retirai mes chaussures sur le pas de la porte et j'allai déposer mon sac dans ma chambre. J'ouvris la télé et attrapai un des restants qui croupissaient dans mon congélateur pour le passer au micro-ondes, comme je l'avais fait chaque soir quand je travaillais et n'avais que quelques heures à occuper entre mon arrivée et mon coucher.

Le lendemain, j'étais habillé et rasé à 9 h du matin. Le temps se déroulait à l'infini devant moi. Je pris pleinement conscience, pour la première fois, de la lourdeur de tout ce temps que j'avais sur les bras. La promesse que me faisait chaque minute de se répéter à perpétuité m'étouffait. Je combattais un pénible vertige. Je comptai les jours. Encore neuf avant mes premiers travaux compensatoires. C'était affreusement loin. Je pris la voiture, symbole de mon combat, et me dirigeai chez Jack pour une petite mise au point. C'était toujours le bon moment pour un changement d'huile. Je me plantai dans la salle d'attente. Le magazine sur la page couverture duquel Josiane et Marie souriaient, chacune un coussin à la main, traînait là où je l'avais laissé, derrière la machine à gommes. Je le rangeai dans la pile sur la table basse avec un certain empressement. Personne ne vint. Je restai là, immobile, pendant plusieurs de ces minutes que j'avais en trop. Rien ne bougea.

Une femme habillée en rose de la tête aux pieds vint finalement vers moi pour me dire que le garage était fermé pour la journée. Elle chuchotait en inclinant la tête vers le sol. J'estimai que ce n'était pas la femme de Jack, mais je n'en savais rien. Elle aurait pu être sa concierge, sa cousine, l'épouse d'un de ses employés, mais pas la sienne. Elle était trop loin de ce que je m'étais imaginé. J'étais tenté de lui demander pourquoi la porte du garage était déverrouillée si ce n'était pas ouvert. Quelque chose me disait que c'était déplacé, mais mon tourment me privait des réflexes de politesse que m'avait inculqués ma mère et m'autorisait à traîner là un peu plus longtemps que la bienséance ne le permettait. Je ne pus retenir ma langue.

— Pourquoi ?

— Raisons personnelles.

— Rien de grave, j'espère ?

— …

— Allez… Vous m'inquiétez. Jack va bien ?

— …

— Jack va bien ?

— Il est mort, monsieur, si vous devez absolument le savoir.

— … Et vous, vous êtes ?

— En vie. Enfin… Oui. En vie.

— Bien sûr… Je voulais dire… Qui êtes-vous ?

— Je suis sa sœur.

— Mes condoléances. Je suis désolé.

— Allez. Laissez-moi un peu tranquille.

— Bien sûr.

Je me mordis les lèvres sans pouvoir m'empêcher de renchérir.

— Je peux vous demander ?

— …

— Jack était marié ?

— Non. Heureusement. Il était seul.

— Et… vous êtes d'origine polonaise ?

— Hein ? Polonaise ! Où est-ce que vous avez été pêcher ça ?

-18-

Quelques jours plus tard, le journal du quartier rapporta que Jack s'était asphyxié au monoxyde de carbone sur la banquette arrière d'une voiture en réparation dans son atelier. Un de ses deux employés l'avait trouvé là en revenant de son heure de lunch. Jack avait servi des clients jusqu'à la dernière minute, le jour même du drame, probablement peu avant ma visite.

Moi, j'avais quitté la sœur de Jack avec précipitation, accablé par la perte de mon idole, étouffé par des sanglots sourds. Je pleurai davantage parce que j'avais appris que Jack n'était pas celui que je m'étais imaginé qu'en raison de son décès à proprement parler. J'avais monté un personnage de toutes pièces. Je m'étais berné moi-même. C'était plus terrible que la disparition de l'homme.

Je descendis au sous-sol pour retrouver mon saxophone. Je le dépoussiérai à l'aide d'un torchon qui traînait là et qui avait mis trop longtemps à sécher. Il sentait le moisi, la mort. Je m'assis dans cette ambiance morbide pour accorder l'instrument, qui n'avait pas servi depuis plusieurs dizaines d'années. Mon souffle émit d'abord des sons flous et faux, puis je parvins à trouver les notes justes, contrairement à ma vie qui, elle, ne cessait de fausser.

Quand les sons me semblèrent purs, j'entonnai une marche nuptiale. J'avais toujours souhaité voir ma mère se marier à un homme comme le Jack que je m'étais représenté. Il était à la fois le père que j'aurais aimé avoir et l'amour qu'elle avait espéré toute sa vie, j'en étais sûr. J'imaginai qu'elle attendait au bout d'un long tunnel, vêtue d'une robe blanche couverte de perles d'eau. Jack avançait à sa rencontre sur un tapis, blanc lui aussi, qui se déroulait interminablement. Ma mère rayonnait. Elle criait qu'elle n'avait jamais connu l'amour. Elle avouait à Jack qu'elle l'avait attendu toute sa vie et le suppliait d'accélérer le pas. Lui affichait un air béat et répondait qu'il fallait faire durer le plaisir. Ma mère le conjurait de renoncer à cette idée. Elle criait que seul le moment présent existait.

Jack lui parlait d'éternité, d'abondance, il lui disait d'oublier la vie, porteuse d'éphémère, alors que le tapis ne cessait de se dérouler sous ses pieds comme pour appuyer ses propos, le garder plus longtemps loin de ma mère, debout à l'extrémité du tunnel qui ne cessait de s'allonger, sans même qu'elle puisse compter sur la mort pour mettre fin à son interminable attente.

Je voulais crier à Jack qu'il avait tort, lui décrire la lourdeur du temps qui s'éternise, lui dire que le bonheur loge dans l'impermanence, le conjurer de croire ma mère, de courir la prendre dans ses bras pour l'embrasser, comme si c'était la dernière fois. Mais il n'existait pas. J'étais seul avec les espoirs à jamais inassouvis que je prêtais à ma mère, peut-être faute d'aspirer moi-même à quelque chose. Ma vie était complètement vide, si ce n'était mon ami Michel, que je n'avais pas vu depuis notre séjour dans le Bas-Saint-Laurent.

Je lâchai bruyamment l'instrument à mes pieds dans la pénombre du sous-sol et courus me réfugier dans la voiture, antre de mon salut. Le soleil de midi tapait. Je m'obligeai à garder les yeux bien ouverts et à le fixer à travers le pare-brise. J'en avais assez de l'incommensurable. Je voulais que le temps cesse de s'étirer. Les rayons atteignaient le fond de mes yeux, là où ça faisait mal. Je savais que le soleil poursuivrait sa course et que, bientôt, il éclairerait ma joue gauche avant de l'abandonner, elle aussi. Lorsqu'il quitterait mes prunelles, je sortirais de ma léthargie. Je m'obstinai à tenir, frémissant, jusqu'à ce que le cours du jour me libère. Je démarrai le moteur et repris le chemin du garage de Jack.

Sa sœur avait retiré ses vêtements roses et s'était endeuillée d'un chandail et d'un jeans noirs. Je n'étais pas certain de la reconnaître. Heureusement, elle prit les devants.

— Vous êtes encore ici?

— Vous avez dit que Jack n'avait ni femme ni enfants.

— Oui.

— Vous êtes sa seule héritière?

— En quoi est-ce que ça vous regarde?

— J'aimerais acheter le garage.

— Et profiter de la détresse d'un homme esseulé?

Elle lâcha un soupir avant de m'envoyer carrément promener. J'étais un être abject qui espérait obtenir à rabais un commerce profitable.

— Regardez tout ça, évaluez la succession et rappelez-moi si ça vous intéresse. Je vous offre trois millions. Voici mon numéro de téléphone.

Je lui remis le bout de papier sur lequel je venais de griffonner mes coordonnées et rentrai chez moi. L'horaire des travaux compensatoires traînait toujours dans ma poche. Quel jour étions-nous? Je l'ignorais. Je consultai à la fois l'horaire et Internet. Mon premier quart de travail était prévu dans deux jours. J'attendis.

Je me présentai chez Pro Vert Sud-Ouest à l'heure dite. Ça me faisait un bien fou d'avoir quelque chose d'utile à faire. Les bénévoles de l'association m'accueillirent comme un des leurs. Ils me remirent un pulvérisateur à pression, un seau rempli d'eau et de détergent, des indications, une carte délimitant mon territoire, et ils me laissèrent partir seul. La confiance régnait. Il est vrai que mon délit était mineur, mais j'ignorais même s'ils savaient de quoi j'avais été reconnu coupable. Quelque chose me disait que rien n'aurait pu changer leur façon de s'adresser à moi. Je ratissai Saint-Henri à la chasse aux graffitis et m'appliquai à faire disparaître du mieux que je le pus ceux que je trouvais. Je ne pris pas conscience du temps qui s'écoulait. Ne me voyant pas rentrer à la fin de la journée, les bénévoles durent appeler les policiers. Ils me trouvèrent en train de m'évertuer à effacer un vieux dessin de Jimi Hendrix.

— Monsieur Melançon ?

— Oui.

— Embarquez. Il est passé 17 h.

Les agents me ramenèrent bienveillamment chez Pro Vert, où on me taquina pour mon excès de zèle.

— Allez, ouste! On doit rentrer, nous aussi. Je vous rappelle que nous ne sommes pas payés, nous non plus!

J'avais encore deux jours à faire. Je leur promis de porter une montre la prochaine fois et rentrai chez moi juste à temps pour répondre à l'appel de la sœur de Jack. Elle acceptait de me vendre tout ce qu'elle pouvait de la succession. «Trois millions cinq cent mille», me dit-elle d'un ton ferme, prête à se battre bec et ongles pour chaque sou qu'elle me réclamait de plus. Ça venait avec la brosse des toilettes, les fèves en boîte et le calendrier d'il y avait trois ans. Son ex-mari était notaire et allait s'occuper de tout gratuitement.

Elle ignorait de toute évidence ma situation financière. J'acceptai sans même une pointe d'hésitation, à la condition de pouvoir commencer à exploiter le garage dès le lundi suivant. Je prétextai qu'on devait agir rapidement si on voulait garder les employés et les clients. Mes justifications fusaient sans que je me préoccupe de leur fondement, sans même que la sœur de Jack les entende. Elle en avait fini avec le garage, avec son deuil, même, depuis que j'avais accepté sa contre-offre. Ses yeux devaient être écarquillés et sa bouche ouverte, sans que rien s'en échappe, pas un son, pas un sifflement. Elle contenait une irrésistible envie de foncer vers le mirage d'un nouveau bonheur qu'elle venait d'entrevoir.

Moi, j'étais pareil. J'accourais vers ma rédemption. Chaque jour serait enfin comme celui que je venais de vivre dans les rues de Saint-Henri. Mon temps recommencerait à compter. Je pus tout juste terminer une deuxième journée de travaux communautaires avant de me retrouver derrière le comptoir.

Les clients – tous des habitués – réclamaient des détails sur la fin tragique de Jack. Je me chargeai de répéter l'histoire d'un ton placide pendant que les anciens employés de Jack faisaient leur boulot, comme la semaine précédente. Ils avaient tous deux les mains qui tremblaient quand ils examinèrent leur premier moteur de la journée. L'un d'eux se signa avant d'entrer dans l'atelier, mais tous les rendez-vous furent honorés et la vie reprit son cours normal avant la fin de cette première journée.

Les deux employés me dirent merci en partant. Ils revinrent le lendemain et le surlendemain, satisfaits, eux, que leur vie continue, comme elle l'avait été jusqu'alors.

On mit seulement la clé dans la porte pour assister au service funèbre de Jack. L'église d'allure moderne était vide, à part la sœur du défunt, qui pleurnichait dans la première rangée.

Les deux employés de l'atelier retirèrent leur casquette en entrant. Ils ne soufflèrent mot pendant les brèves funérailles. Le modeste cercueil était fermé. Lorsque le vieux curé eut prononcé sa dernière phrase, notre petit cortège se dirigea jusqu'à l'arrière de l'église et on déposa les restes de Jack aux abords du cimetière. Des gens embauchés par le diocèse allaient plus tard se charger de le mettre en terre. La sœur de Jack se tourna une dernière fois en direction de son frère, avant de se diriger vers le stationnement. Un des deux employés du garage posa une main sur la caisse de bois et sembla faire une prière. L'autre s'apprêta à s'agenouiller, puis il se ravisa et se contenta de croiser les mains derrière son dos. Ça m'embêtait de laisser Jack comme ça. Je me serais mieux senti si une horde de têtes affligées avait envahi les lieux. Je regardai tout autour, en vain. Il n'y aurait pas de vieux amis qui refuseraient de le quitter avant que Jack soit mis en terre, pas de femme qui les remercierait en silence, son mascara lui dégoulinant sur les joues, pas d'enfant qui se jetterait sur la tombe en criant «papa». Rien de tout cela. Je dus me faire une raison. Je me tournai vers les deux employés.

— On rentre au garage?

Ils acceptèrent sans délai. Je les devinais libérés du même malaise que celui qui m'habitait. Celui qui avait prié me demanda de faire un détour jusqu'au IGA. Il m'appela «patron», comme si ça allait de soi.

On acheta trois bouquets de gerberas. Nous en portions chacun un lors de notre retour au garage. Les deux hommes firent équipe pour scier le dessus d'un bidon de lave-glace vide et on mit les fleurs dans l'eau. On se sentait un peu mieux. Moi, du moins, j'avais le sentiment d'avoir fait des adieux relativement décents. Les gars se remirent à leur tâche et moi à mon nouveau travail. J'étais maintenant confirmé dans mon rôle.

-20-

Je n'avais ni d'expérience en gestion d'un garage ni de connaissances en mécanique. Je laissais mes deux employés tout prendre en main. Tranquillement, je commencerais à m'occuper des inventaires et de la comptabilité et, un jour, les moteurs n'auraient plus de secrets pour moi, mais, à ce moment-là, je me contentais de faire connaissance avec les clients.

Je dus me résigner à sortir du garage pour effectuer ma dernière journée de travaux communautaires. Après avoir sillonné Saint-Henri à la recherche de graffitis à nettoyer, je m'imposai de rentrer à la maison beige. À mon arrivée, je fouillai dans la boîte aux lettres dans l'espoir de trouver une note de Michel m'informant qu'il était passé me rendre visite. Il n'y en avait pas. Je me demandai un instant comment notre amitié allait survivre à mon nouveau mode de vie, puis je chassai mes doutes. L'heure n'était pas aux questionnements.

À ma grande surprise, ma maison redevint fonctionnelle. Je recommençai à m'en désintéresser. Il m'importait seulement de pouvoir y manger et y dormir. Mon iPad traînait sur la table basse près du La-Z-Boy. Je n'arrivais pas à me rappeler depuis quand il traînait là. De la poussière s'était accumulée sur l'écran. Mon doigt laissa une trace en déverrouillant l'appareil. Je dus me concentrer pour me souvenir de mon mot de passe. Ma boîte de messages était pleine de publicités et d'infolettres. D'anciens collègues me cherchaient sur LinkedIn, des connaissances m'invitaient à m'inscrire à Facebook et des gens qui avaient dû me voir aux nouvelles me demandaient de l'argent. J'effaçai tous les messages un à un, me détachant chaque fois davantage des centaines qui suivaient. Relever, mettre au panier, recommencer, tel un joueur de basket à l'entraînement. Je m'efforçai de les lire tous, craignant que, si je laissais mes pensées vagabonder, un message important m'échappât. Il me restait deux cent trente courriels non lus quand je tombai sur un message de Josiane. Elle me demandait pardon et affirmait qu'elle n'aurait pas dû croire aussi naïvement que j'étais à l'origine de l'infâme trempette de ses coussins dans la piscine à Saint-Ignace-de-Loyola. Mon comportement insolite n'était pas une raison pour conclure que j'étais capable d'un tel égarement. Le fait qu'elle ait été bernée ne changeait rien à ma joie de la voir prendre contact avec moi. Je me remis à effacer les pourriels de ma boîte de messages le cœur léger.

21

J'étais de bonne humeur lorsque je me réveillai le lendemain matin. Il n'y avait rien comme s'endormir heureux. La nuit offrait ses meilleurs conseils pendant un sommeil paisible. Ma disponibilité et ma sédentarité avaient jusqu'alors assuré la viabilité de mon amitié avec Michel. Ces variables avaient changé, depuis l'achat du garage, et il m'appartenait de relancer notre amitié sur de nouvelles bases. J'attrapai le combiné du téléphone du couloir.

— Michel?

— Louis!

— Comment vas-tu?

— Bien.

— Parle-moi de ça!

— Et toi?

— Ça va… Écoute, j'ai acheté un atelier de mécanique.

— …

— Celui de Jack. Pas très loin du concessionnaire où tu travaillais… Je ne sais pas si tu as lu la nouvelle?

— …

— Le gars qui s'est suicidé. Ça te dit quelque chose ?

— Pas vraiment, non…

— En tout cas, lui… Son garage… Je l'ai acheté.

— C'est bon, ça. Ça va te tenir occupé.

— Oui. Ça me fait du bien. C'est vrai.

— …

— Je t'appelle parce qu'il y a un terrain vague en arrière. J'ai pensé qu'on pourrait vendre des voitures d'occasion.

— On ?

— Oui, « on ». Toi et moi. Viens voir ! On pourra en parler.

Michel ne se montra pas particulièrement enchanté par ma proposition mais accepta quand même de passer me voir dans le courant de la semaine.

Il se laissa désirer plus longtemps que ça avant de finalement montrer le bout de son nez derrière la porte vitrée. On était en novembre. Il avait choisi le jour de la première neige pour venir me voir. Le garage était bondé de retardataires qui n'avaient pas encore fait installer leurs pneus d'hiver. Ils attendaient sagement leur tour, entassés dans l'étroite salle d'attente, conscients qu'on leur accordait une faveur en les prenant sans rendez-vous.

Je vis Michel tout de suite malgré l'attroupement qui le cachait presque entièrement à ma vue. Le souffle d'une seule respiration dans la vitre, un seul regard inquisiteur à travers la buée et j'accourais déjà vers lui, confinant les clients, heureusement plus indulgents que d'ordinaire, derrière le battant de la porte.

— Michel ! Je suis content de te voir !

Je le serrai brièvement dans mes bras avant de l'entraîner derrière en le tirant par le coude.

Michel était comme d'habitude, même s'il pouvait sembler un peu éteint à côté de ma nouvelle quasi-exubérance. Je lui fis faire une visite hâtive du bâtiment principal et abandonnai mes deux employés avec les clients en traînant Michel dehors, puis jusqu'au milieu du terrain vague.

De la neige tombait lentement mais il ne faisait pas froid. Michel portait un manteau léger qu'il n'avait pas boutonné et avait les mains dans les poches. Moi, je n'avais pas pris la peine d'attraper ma veste. Je ne portais qu'une chemise, mais la sueur coulait sur mon front tant je gesticulais. Je pointais tour à tour le nord et le sud, espérant une réaction de Michel, qui n'en eut pas. Je l'entraînai dans une cabane vieillotte située aux deux tiers des lieux. Elle débordait de pièces de voiture rouillées, amassées au fil des ans, qui n'étaient visiblement plus bonnes à rien. Michel et moi nous faufilâmes entre elles. On était très à l'étroit dans tout ce bazar. Je notai que ma respiration était plus saccadée que la sienne. Il ne partageait apparemment pas mon engouement pour le projet. J'eus le réflexe d'exagérer mes propos.

— On nettoierait tout ça. Tu t'installerais ici, tranquille. Tu n'aurais qu'à surveiller les acheteurs potentiels. Tu es un excellent vendeur ! Je le sais ! Tu m'as vendu deux voitures !

— Je vais être franc avec toi, Louis, je ne sais pas.

— Penses-y, Michel. On n'est pas pressés.

Je me gardai d'insister : notre amitié m'importait davantage que mon rêve de réaliser ce projet avec lui, mais je n'étais pas prêt à le laisser partir comme ça. Je lui proposai d'aller prendre un café au coin de la rue. Il me suivit sans répliquer. Noël approchait. Un employé tenait un pochoir à bout de bras sur la vitrine pendant que sa collègue remuait une cannette de neige en aérosol. Ils faisaient équipe sans dire un mot alors que de la vraie neige continuait à tomber, en sourdine, elle aussi.

Les silences s'étaient souvent accumulés entre Michel et moi. Cependant, cette fois-ci, des histoires anodines se bousculaient dans ma gorge. Elles étaient futiles, mais j'aurais aimé les lui raconter quand même. Je me contentai de coller mes mains à la chaise de métal fixée au sol. Michel buvait son café sans engager la conversation et, moi, je me concentrais pour garder ma bouche close. On regardait les employés décorer la vitrine. Ils en étaient au E de «NOËL» mais ne trouvaient pas le tréma.

— Ça doit être un kit de lettres en anglais… Je ne trouve pas les accents et le reste…

— On va prendre le point du I. Il y a un point sur les I en anglais aussi, non?

— C'est un ensemble de majuscules…

— Attends! J'ai une idée.

La fille alla chercher un beigne derrière le comptoir. Elle le brandit bien haut derrière l'étalage en plexiglas, l'air taquin, rigolant comme une fillette.

— On va prendre un beigne!

Le jeune homme s'amusait, lui aussi. Ils étaient passés d'un léger silence à un fou rire contagieux. Je m'esclaffai. On aurait dit que je n'attendais qu'une permission, n'importe laquelle, pour éclater. Michel observait la scène sans réagir. Ce n'est que lorsque la fille fut montée sur une chaise pour tenir le beigne au-dessus du E qu'il craqua, lui aussi. Quand j'entendis son premier gloussement, j'explosai. Nous pouffions maintenant tous les deux comme des gamins à la messe de minuit, incapables d'arrêter. Nous déposâmes les cafés sur la table devant nous pour ne pas nous éclabousser.

Je levai la main pour la mettre devant ma bouche, après quoi elle atterrit d'elle-même sur l'avant-bras de Michel.

— Comment ça va, vieux?

— Pas super bien.

Nous avions repris notre sérieux et recouvré notre sérénité, les deux employés hilares en trame de fond. Nous étions bercés par leurs voix, rassérénés par la quiétude de la neige et réchauffés par nos cafés.

— Qu'est-ce qui t'arrive?

— Je n'ai toujours pas de job. Je tourne en rond dans mon appartement. Je lis sans arrêt, sans savoir si c'est pour oublier ou parce que c'est la seule chose qui m'intéresse. Je n'ai pas une cenne, Louis. Je ne sais pas comment je vais me sortir de ce pétrin.

— Je ne te dis pas ça pour t'obliger à me rendre des comptes, mais t'as pensé aux cinquante mille piastres qu'on a transférées dans ton compte à la caisse pop dans le Bas-Saint-Laurent?

— Oui.

— …

— Si tu veux savoir, je les ai données à Luce. Pour notre fils. Je n'étais pas capable de dormir. La chair de ma chair, le sang de mon sang, dans la petite maison, là-bas, dans laquelle je ne sais même pas s'il a assez chaud ou s'il a faim. J'aurais fait pour lui ce que je n'ai jamais fait pour quiconque, même pas pour Luce, que j'aimais pourtant, elle aussi. Si j'avais su qu'il serait là un jour, je serais resté auprès d'elle, par instinct, sinon par amour. Je me suis dit que si j'avais donné autant que j'avais maintenant envie de le faire, j'aurais tout ce que j'ai perdu.

— …

— Tu sais quoi? C'est là que j'ai réalisé que tout ce que j'avais, c'était ce que tu m'avais offert. Cinquante mille malheureuses piastres, que je n'ai même pas gagnées.

— Tu as bien fait. Je suis bien placé pour te comprendre… Moi, tout ce que j'ai, c'est toi.

— …

— Et, depuis peu, mon garage. Laisse-moi t'offrir quelque chose, une dernière fois. Tu sais trop bien ce que ça signifie pour moi. J'aimerais qu'on fasse ce projet-là ensemble. Si tu te joignais à moi, je le prendrais comme un cadeau.

Les deux employés étaient retournés derrière le comptoir pour servir les clients qui entraient. On pouvait lire *JOYEUX NOËL* à l'envers dans la vitrine.

22

— Bonjour, Josiane? C'est Louis.

— Allô! Quelle belle surprise!

Sa réaction était beaucoup plus joviale que je n'aurais pu l'imaginer. Elle semblait espérer mon appel. Moi qui en avais douté. J'avais trimbalé son numéro de téléphone dans mon portefeuille pendant au moins deux semaines. L'idée m'avait parfois effleuré de lui téléphoner, mais je m'étais toujours ravisé. Cette hésitation avait duré jusqu'à ma dernière rencontre avec Michel. Une irrépressible envie de m'ouvrir plus, de donner plus, s'était emparée de moi.

— Je ne prends pas souvent mes messages. J'ai vu le vôtre il y a quelques semaines… J'appelle d'abord pour dire que j'accepte vos excuses.

— Merci, Louis.

— Je comprends tout à fait. J'aurais pu réagir de la même façon.

— C'est gentil. Mais je ne vous rends pas la pareille… Je peux vous garantir que si jamais je gagne à la loterie, j'aurai mieux à faire que de faire venir des coussins sur Etsy!

On rit un peu, à moitié. Mais la suite de notre échange se passa sous le signe d'une véritable gaieté.

— J'ai aussi pensé vous offrir de faire votre comptabilité. Si ça vous intéresse, je suis au 5229, rue Notre-Dame, à Montréal. Je me suis acheté un garage. Juste un, je vous rassure. J'y suis presque toujours.

— Pourquoi pas ? J'en parle à Marie et je vous donne des nouvelles.

Si notre conversation s'était terminée sans difficulté, elle refusait obstinément de quitter mes pensées. Je songeai toute la journée à chacun des mots que Josiane avait prononcés. « Merci, Louis », surtout. Mon prénom dans sa bouche sonnait mieux encore que dans celle de ma mère. « Merci, Louis. » « Louis. » « Louis. »

Pendant les jours qui suivirent, j'espérai la visite de Josiane en feignant de ne pas l'attendre. J'affichais un air détaché pour vaquer à mes occupations et je m'interdisais de surveiller la porte vitrée. Heureusement, elle ne tarda pas trop. Un samedi où le garage était anormalement tranquille, peut-être parce que tout le monde avait enfin ses pneus d'hiver, elle passa sans prévenir. Elle était élégante comme le jour où elle s'était présentée au café, et le contraste avec les lieux lui donnait un air encore plus distingué. Elle retira son bonnet couleur pêche et déboutonna son manteau blanc. Je craignis qu'elle ne se salisse en s'accoudant au comptoir et me dépêchai de l'entraîner dans le bureau adjacent.

Durant notre traversée des quelques mètres qui nous séparaient de la pièce, je cherchai à me mettre en mode séduction, sans savoir ni comment ni par où commencer.

J'avais toujours trouvé important de demeurer moi-même, malgré la tiédeur que j'éveillais chez les autres. Les relations sociales n'avaient jamais eu d'attrait pour moi, surtout pas celles fondées sur des faux-semblants. Seulement, à cet instant, j'aurais aimé dire quelque chose de brillant à Josiane. Il faut croire que mon désir de déposer mes lèvres sur les siennes dépassait mes principes.

Je fouillai mon passé, espérant dénicher quelque chose de percutant à lui raconter. Seul me venait en tête le trophée du nombre record de déclarations de revenus qui m'avait été décerné deux ans auparavant par la firme comptable pour laquelle je travaillais. Il était perdu dans le sous-sol de la maison beige. Y faire référence n'aurait sans doute pas d'effet sur l'opinion que Josiane avait de moi, mais j'étais à court d'idées. J'indiquai le coin du bureau avec mon doigt.

— J'ai été pas mal occupé… Je ne suis pas encore complètement installé. Je mettrai mon trophée là, dans le coin.

— Vous avez un trophée?

— Oui, enfin, ce n'est pas important, c'est une marque de reconnaissance, sans plus. C'est quand je préparais des déclarations d'impôts. C'est moi qui en avais fait le plus dans toute ma firme cette année-là.

Je regrettai d'avoir prononcé ces mots dès qu'ils furent sortis de ma bouche. Ils me semblèrent plus absurdes que tout ce que j'avais dit ou pensé jusqu'alors. Les nuances de la séduction m'échappaient. Je n'étais pas à l'aise de m'être avancé ainsi et tentai de corriger la situation.

— Un peu comme vous pour les coussins… Ç'a dû être une grosse année!

Je fus soulagé que Josiane attrape la balle au vol.

— Notre plus grosse année à vie, je suppose… À moins qu'un autre «bienfaiteur» nous prenne sous son aile l'an prochain!

Son commentaire me fit sourire. Elle souriait aussi. Elle était beaucoup plus légère que je ne l'avais connue jusqu'alors. Elle ne me touchait que davantage. Le malaise que m'avait inspiré ma dernière intervention se dissipa rapidement. Sa seule présence m'apaisait. Elle me poussait de nouveau à rêver ma propre vie. Je la revoyais dans la robe rose tendre que je lui avais arrachée fougueusement le jour où j'avais imaginé ma rencontre avec elle en la voyant sur la couverture du magazine. Je la soulevais de terre, devant les portes de l'ascenseur, et la portais jusqu'à la chambre d'un hôtel imaginaire.

Elle mit ses affaires sur une chaise, sortit une pile de factures pêle-mêle de son sac et les déposa sur le bureau encombré de la paperasse de Jack, que je n'avais jamais classée.

— Marie et moi vous serions reconnaissantes de vous occuper de notre comptabilité.

— Ce sera avec plaisir.

— Mais avant de commencer… Je vous ai apporté un petit quelque chose…

Elle tendit alors le paquet carré habilement emballé de papier brun et enrubanné de raphia qu'elle traînait avec elle depuis son arrivée.

— C'est pour moi?

— Oui.

— J'ouvre?

— Bien sûr.

J'hésitai encore une fraction de seconde puis entrepris de dénouer la boucle et de décoller le papier avec soin. Défaire l'emballage que Josiane avait confectionné en pensant à moi, refaire à l'envers les mêmes gestes qu'elle, tout ça commandait le respect. Je craignais aussi de rompre le charme que trahissait peut-être son geste en me pressant. Quand Josiane entendit enfin le papier froissé tomber, elle expliqua, d'un ton à mi-chemin entre la moquerie et l'at-tendrissement, qu'elle avait regretté de ne pas avoir donné suite à mon dernier message. C'était sûrement gentil, sans plus, mais je m'interdis de conclure sur ses intentions. Je laissai filer des remerciements peu inspirés à travers un sourire forcé avant de déposer le coussin sur la paperasse de Jack. Je ne savais pas qui, de Bob l'éponge ou de moi, avait l'air le plus hébété.

-23-

Michel accepta finalement mon offre. Il fit une déclaration qui me sembla être une condition : « Je ferai comme je l'entendrai. » J'acceptai sans demander de précisions. Il n'était pas utile que j'en obtienne ; je lui donnerais carte blanche, de toute façon. La rentabilité du projet m'indifférait.

Michel sélectionna les modèles qui composèrent notre stock initial. Il avait l'air d'un roi quand il déambulait entre ses bolides. Il les triait sur le volet, les nettoyait, demandait à nos deux employés de faire quelques réparations. Il s'asseyait derrière le comptoir avec un bout de carton et un feutre. Il écrivait le prix, le kilométrage, l'année et une ligne au sujet des propriétaires précédents : *Il la lavait chaque semaine. Elle a rempli le coffre avec tout ce qu'elle possédait le jour où elle est partie de chez ses parents. N'a jamais roulé sous la pluie.* Ça l'amusait, même si, à mon sens, cette initiative ne lui ressemblait pas. Je m'empêchai de lui soutirer des explications. Qui étais-je pour juger de cette extravagance qui m'avait moi-même si bien servi ? Je pensai que j'avais commencé à déteindre sur lui. Cette idée me plut.

Je m'habituai à l'entendre dire aux vendeurs qu'il n'achèterait leur voiture usagée que s'ils fournissaient une anecdote, comme je m'habituai à ce qu'ils ricanent, hésitent puis jouent le jeu. L'exercice se terminait invariablement dans l'allégresse. Il arrivait que Michel doive inventer des histoires lui-même, par exemple dans les cas de successions ou de reprises de possession. D'ailleurs, les témoignages qu'il imaginait étaient souvent plus savoureux que ceux qu'on lui racontait. C'était bon de le voir heureux.

Il avait dû remarquer que Josiane venait parfois au garage. Elle lui avait demandé de me remettre des documents un jour où je n'étais pas présent lors de son passage, mais il ne me demanda jamais qui elle était ni pourquoi elle venait. Il posait si peu de questions que j'évitais moi-même d'aborder le sujet.

Josiane et moi étions presque devenus amis. J'aurais souhaité autre chose, mais son attitude plutôt professionnelle et la maladresse avec laquelle je m'étais ingénié à la séduire, lors de sa première visite, refroidissaient mes ardeurs. J'avais repris le chemin de l'authenticité et j'espérais que le temps jouerait en ma faveur. Ne dit-on pas que certaines personnes gagnent à être connues ?

J'accueillais Josiane dans mon bureau chaque fois qu'elle avait un conseil à demander ou un papier à remplir. J'observais ses mains et ses joues avec le même émoi qu'elle suscitait en moi depuis le premier jour. Elle m'inspirait la même fascination que Jack. Je me méfiais de mes impressions, conscient que j'étais capable de vagabondage, mais je m'accrochais à mes idées comme ma mère à son Dieu.

Josiane ne s'éternisait jamais. Elle passait au garage, déposait quelques documents et s'en allait. Je me souvenais de chacune des phrases de l'article que *L'actualité* avait publié sur elle. Je savais combien son horaire était chargé et n'insistais pas.

J'ignorais où elle habitait. Un jour où elle était passée au garage, j'enfilai une vieille casquette de Jack, empruntai une voiture de l'inventaire de Michel et suivis Josiane incognito, comme un adolescent incapable de contenir davantage sa curiosité. Je devais savoir où elle vivait. Elle prit le pont Champlain, m'entraîna jusqu'à Saint-Constant puis emprunta des routes étroites qui semblaient traverser la campagne profonde et qui donnaient à mon automobile un aspect gigantesque. J'arrêtai en bordure du chemin et attendis que la voiture de Josiane disparaisse au loin. La plaine avala rapidement sa berline. Mon état d'esprit était devenu celui d'un chasseur. Il m'interdisait de faire demi-tour. Je ne suivais plus Josiane. J'étais sur une piste, en filature. Mes gestes n'étaient pas dictés par la raison. Ma voiture se remit en marche presque malgré moi et je continuai à rouler. J'aperçus la compacte de Josiane garée derrière une jeep jaune décapotable dont le toit de plastique pendouillait en lambeaux. La maison était délabrée. Les lieux étaient presque sinistres, à l'opposé de la lumineuse Josiane. J'aurais pu garer la voiture derrière la jeep jaune et aller sonner à la porte pour avouer ma faiblesse, penaud, la bouche pâteuse, bon à donner à manger aux chats qui gambadaient aux alentours, mais j'eus la décence de poursuivre ma route sans inspecter davantage les lieux.

-24-

Michel ne rentrait plus chez lui. Il était toujours au garage. Je devinai qu'il se lavait dans la douche que Jack avait fait installer dans la salle des toilettes parce que du gel pour le corps et du shampoing y étaient apparus. Je soupçonnai aussi Michel de ne pas avoir renouvelé le bail de son appartement à Longueuil. Un sofa de similicuir avait été installé derrière le garage à peu près au même moment où il avait cessé de rentrer chez lui. Des boîtes s'entassaient dans le cabanon d'où Michel attendait la venue des clients. Des livres commençaient à s'accumuler çà et là. Il ne quittait le garage que lors de ses excursions occasionnelles, pour acheter des voitures par exemple. Je ne m'enquis jamais de ses allées et venues ni des raisons qui sous-tendaient ses choix. En ce qui me concernait, il était chez lui.

Je rentrais généralement chez moi vers 19 h. Le matin, je retrouvais Michel vers 6 h. Il était là, douché, les cheveux mouillés, et la cafetière était déjà à moitié vide. Il cherchait des aubaines sur Kijiji ou remplissait des documents, accoudé au comptoir. Sinon il bichonnait les voitures dans la cour. À l'heure de la pause café des deux employés, je les entendais souvent ricaner tous les trois. Ils s'asseyaient chacun à leur tour sur le sofa qui se détériorait malheureusement assez rapidement, malgré le demi-toit sous lequel il avait été installé.

J'espérais les rares visites de Josiane sans trop languir. Je continuais à recevoir les clients et à gérer le garage. Quand j'avais un peu de temps, je m'asseyais à mon bureau et faisais de la comptabilité à l'aide de la vieille calculatrice à ruban que j'avais dû payer cinq cents dollars à la sœur de Jack. Un plan d'affaires pour Marie et Josiane prenait tranquillement forme. Michel ne me demandait pas pourquoi, mais je m'étais mis à emprunter une voiture dans la cour quelques fois par semaine. Une différente à chaque occasion. J'enfonçais la casquette de Jack le plus profondément possible sur ma tête et je roulais sur les routes sinueuses qui, après Saint-Constant, menaient à la maison délabrée où vivait Josiane. Il n'y avait jamais personne dehors. Il n'y avait rien à voir. C'était tant mieux.

Un soir, je revins au garage pour garer le véhicule près des autres voitures. Il devait être 21 h. Une lumière tamisée perçait à travers la vitrine poussiéreuse. Je poussai la porte. Une nappe avait été étendue sur une planche de bois déposée sur trois pneus empilés. Des chandelles éclairaient le centre de la table de fortune et deux chaises de la salle d'attente avaient été placées autour d'elle. Des boîtes de *take-out* étaient éparpillées sur le plancher de ciment. La radio diffusait du jazz.

Ma curiosité me dicta de faire une ronde. Je me dirigeai d'abord vers l'atelier. Des cris étouffés provenaient du fond de la pièce. L'obscurité m'empêchait de voir clairement, mais je ne pus pas nier l'évidence… Michel s'envoyait en l'air sur la banquette arrière de la voiture que je lui avais offerte. Les deux employés l'avaient rentrée, plus tôt ce jour-là, pour changer l'huile et le filtre à air. Je m'éloignai sur la pointe des pieds. En sortant, je vis la berline de Josiane garée devant la porte.

-25-

Tout était rangé quand j'arrivai au garage le lendemain. Il n'y avait plus de traces des rouleaux de printemps, ni du général Tao, ni de la baise. Seul un livre de poésie avait été oublié sur la table de la salle d'attente, au milieu des magazines. Je m'interdis d'imaginer Michel en train d'en lire un extrait à une Josiane en liesse, mais la colère s'empara tout de même de moi.

J'aurais voulu m'enquérir de leur soirée, demander à Michel comment il se sentait, lui dire que j'étais passé la veille et que ce que j'avais constaté m'avait blessé. J'aurais voulu lui dire que j'étais heureux pour lui, mais je me tus. Enfin, pas complètement… J'utilisai le seul recours qu'avait à sa disposition le gamin qui continuait de m'habiter dans l'espoir de blesser Michel à mon tour. Je misai sur l'incongruité du parcours de sa vie : adolescent, il traînait des livres partout ; il semblait les avoir délaissés par la suite et les avoir retrouvés depuis peu.

— Tu as recommencé à lire ?

Quelque chose me disait que cette phrase, aussi inoffensive fût-elle, lui ferait mal sans pour autant trahir le malêtre qui m'habitait. Il opta pour une réponse laconique.

— Oui.

Je levai les yeux vers lui. Son regard était à la fois tendre et dur. Il voyait clair dans mon jeu. Il résistait sans pour autant me faire des reproches. J'attendis, le laissant se débattre avec la colère et le regret. Il semblait déterminé à se taire. Je jetai sur lui un dernier coup d'œil pour m'assurer qu'il n'allait pas enchaîner avec la suite, pivotai sur mes talons et m'engouffrai dans mon bureau sans rien ajouter.

La vieille salopette de Jack traînait dans une penderie que je n'ouvrais jamais. Je me rappelais seulement l'avoir vue là, les premiers jours, quand, nouvellement propriétaire, j'avais scruté avec émerveillement tous les recoins de mon acquisition. J'enfilai d'abord les jambes une à une, puis le haut du corps. Jack et moi avions à peu près la même taille. La combinaison m'allait comme un gant. Elle sentait Jack. Pas que je l'eusse déjà senti d'assez près, non, seulement ce ne pouvait être que l'odeur de son corps à lui qui s'était imprégnée, au fil des ports répétés, dans le tissu grossier. Lorsque je revins du côté de l'atelier, Michel ne commenta pas mon apparence. Il me fixa quelques secondes, le regard entièrement gagné par les regrets. Il était tenté de céder à ma requête puérile, de jouer le jeu de ma petite vengeance pour acheter la paix. Il savait que sa relation avec Josiane me blessait, mais il savait aussi qu'il ne pouvait rien pour moi. J'aurais à y faire face moi-même. Rien de ce qu'il me dirait maintenant ne chasserait ma tristesse.

Son amitié me frappa plus encore qu'elle ne l'avait fait jusqu'alors. Je le revis, assis en Indien, en haut de la butte qui vallonnait la cour d'école, faisant le guet, le dos bien droit, pour me protéger. Je le revis sous la fenêtre du gros

Jean, attendant patiemment l'aube. Je le revis se laisser étreindre, aux abords de la Transcanadienne, et le réentendis me raconter Luce.

Qu'avais-je fait pour lui, à part lui donner cinquante mille dollars dont je n'avais pas besoin ? Rien. Pas même une seule confidence. Si c'était sur la banquette arrière de ma propre voiture que Josiane avait retiré sa petite culotte, il aurait été heureux pour moi. Même s'il avait été amoureux fou d'elle. Il ne s'accrochait à rien, ni au malheur, ni au bonheur, ni à l'espoir, ni au découragement.

J'aurais aimé lui rendre une part de son abandon ou, du moins, être clément avec lui. Lui dire : « Allez, ça va, je sais pour la nuit dernière… Et je suis content pour toi. » Mais quelque chose dominait mon attendrissement. Mon orgueil, sans doute, qui avait miraculeusement survécu à mes derniers déboires mais qui se tenait bien droit, là, en travers de ma bonne volonté. Je soutenais son regard, déterminé à le faire parler, espérant le voir souffrir. Il ne tint pas compte de ma requête et choisit d'y aller sans détour.

— Je sais que tu sais, Louis.

— …

— Pour Josiane.

— …

— Le reste, tu t'en fous. Je ne suis pas con. Tu n'en as rien à cirer de mon cheminement personnel, de la raison pour laquelle je suis ici. Toi, c'est Josiane qui t'intéresse, rien d'autre. Qu'est-ce que je peux faire pour toi ? Je me pose la question depuis que je t'ai aperçu hier soir.

— …

— J'espérais que tu m'en parlerais. Je n'étais pas capable de le faire moi-même.

— Eh bien voilà. C'est fait.

J'avais monté le ton, avant de me lever d'un bond pour rentrer chez moi, dans la maison beige, et m'endormir dans la salopette de Jack.

-26-

Des exhalaisons du garage, de Jack et de mes propres aisselles s'étaient échappées du tissu de la salopette toute la nuit. Ma chambre sentait l'homme et l'absence de Josiane, qui l'aurait parfumée de ses gestes fluides et de son lait corporel discret, juste ce qu'il fallait de sucré. Je m'efforçai de quitter mon lit et de me rendre à la salle de bains pour scruter mon visage dans le miroir, inondé de la lumière de l'ampoule claire qui me faisait le teint jaune. Je touchai la peau sous mon arcade sourcilière, dans le creux de mes joues, au-dessus de ma bouche. Je plaçai mon majeur et mon index sous mon nez. Je ressemblais à Jack avec sa salopette sur le dos et un semblant de fine moustache sous les narines. J'agrippai fermement mon rasoir et coupai tous les poils de mon visage, sauf ceux qui étaient sous mes phalanges quelques minutes auparavant. Ma barbe était trop courte pour que ma moustache soit visible. Ce n'était qu'une question de temps.

Je poussai la porte vitrée du garage. Il n'y avait pas un son. Aucun signe de la présence de Michel. Je regardai en direction de la cafetière. Elle était vide. Elle n'avait pas fonctionné.

Je passai derrière mon bureau. Michel y avait déposé un mot : *Si tu me pardonnes un jour, viens nous voir. Tu sais où Josiane habite.*

Je sortis dans la cour. Tous les véhicules étaient là. La voiture que j'avais offerte à Michel presque un an auparavant trônait au milieu des autres. Le vieux sofa rongé par la neige et la pluie avait disparu. Le premier client de la journée se présenta, ne sachant rien du drame qui se jouait en moi. Je notai mollement ce qu'il avait à me dire sur l'état de son véhicule, sans lever les yeux plus qu'il ne le fallait.

-27-

Depuis le départ de Michel, je réprimais une envie persistante d'emprunter une des voitures qui stagnaient dans la cour pour rouler jusque chez Josiane, dire à Michel que je lui pardonnais et le supplier de revenir au garage. Je lui aurais avoué que ma vie, sans lui, était pire que ma vie sans Josiane. Le voir avec elle était moins douloureux que ne plus le voir tout court. Toutefois, je m'en gardai. Ce n'est qu'à la mi-juillet que je cédai. Je garai ma voiture en bordure de la route avant la dernière courbe. Je n'étais pas tout à fait résolu à me montrer. Mes pas longèrent la clairière qui bordait les terres. Près de chez Josiane, je me cachai derrière un buisson pour réfléchir à ce que j'allais faire. Josiane et Michel étaient dans la cour avec un homme en fauteuil roulant qui semblait être le père de Josiane. Michel lui lançait un ballon qui tombait presque tout le temps à côté de la cible. Josiane le ramassait et le remettait affectueusement au type pour qu'il le lance à son tour. Elle déplaçait parfois le fauteuil pour protéger l'homme du soleil ou pour changer le degré de difficulté. Un chiot courait au milieu d'eux. Il sautait sur l'homme en fauteuil roulant, se mettait brièvement en position assise aux cris de Michel puis recommençait.

— Bingo! Assis!

Chaque fois que Michel criait «Bingo!», je m'enfonçais plus profondément dans la vase qui encerclait le buisson. Après quelque temps, ils rentrèrent dans la maison, Michel poussant le fauteuil de l'homme sur une passerelle. Bingo fermait la marche, me laissant seul derrière les arbustes. Je n'avais pas encore trouvé ce que je faisais là ni où j'irais ensuite. J'attendis que la porte se referme et je regagnai ma voiture.

De retour au garage, je descendis du véhicule, abattu, et entrai par l'arrière. C'était dimanche. Il n'y avait personne à part l'ombre de Jack. Je tirai une des chaises de la salle d'attente jusqu'au centre de l'atelier et m'assis pour contempler les lieux. J'avais espéré que le temps se remettrait à passer, que les choses recommenceraient à finir, mais j'avais de nouveau plus de vie qu'il ne m'en fallait pour le peu qu'il me restait à accomplir. J'ouvris la porte de garage et fis entrer la voiture que j'avais offerte à Michel le jour où j'avais remporté le gros lot. Une fois le garage refermé, je m'agenouillai près de la portière du conducteur afin de prier Jack, ma mère et son Dieu. La vase qui avait séché après s'être accumulée sur la combinaison de Jack écorcha mes genoux. D'abord vive, la douleur s'estompa rapidement, me rappelant ma condition humaine qui s'achèverait, que je le veuille ou non, comme le temps aurait raison de tout. Il viendrait à bout de ma maison beige, aussi immuable fût-elle, de mon compte de banque, aussi imposant fût-il, de moi, de mes craintes et de mes rêves, quoi que j'en fis. Je me glissai dans le véhicule et refermai la portière. Ça sentait le neuf. Je scrutai mes traits quelconques dans le rétroviseur.

Une immense lassitude s'imprimait dans les sillons creusés par les années. Je pris conscience que l'odeur des voitures neuves m'avait été insupportable parce qu'elle portait sournoisement en elle la triste fin de mon existence. Rien ne valait une vie qui s'achèverait ainsi.

Je gardai la main sur le contact. J'attendis patiemment un signe pour tourner la clé, libérer du monoxyde de carbone dans l'atelier et m'offrir en pâture à cet infini que je détestais tant, capituler devant lui pour qu'il me prenne dans ses bras trop grands, m'arrache à moi-même et à mes ultimes rêveries.

J'observai une dernière fois les alentours. Les véhicules des clients sur lesquels les employés travaillaient accusaient le passage du temps. Ils étaient rongés par la rouille, un enjoliveur manquait. Décidément, rien n'était éternel. Mon regard se posa sur le tableau de bord. Le carton que Michel suspendait au rétroviseur s'était détaché. Il gisait là, contre le pare-brise. J'étirai le bras pour l'attraper. Il indiquait que la voiture avait vingt-deux mille kilomètres et moins d'un an au compteur. La note que Michel s'amusait à ajouter me frappa : *Cette voiture fut le berceau de l'amitié, de la passion et de l'amour. Asseyez-vous derrière son volant. Qui sait ce qui pourrait vous arriver ?*

Un sentiment d'étrangeté, plus fort que celui que j'avais ressenti jusqu'alors, s'empara de moi. La mort n'avait pas sa place dans cette énumération, tout comme la prémonition selon laquelle ma vie s'arrêterait ainsi n'avait pas eu sa place dans mes choix. J'avais teinté chacun de mes gestes d'une vertigineuse et navrante fatalité, balayée par une simple note bon enfant.

Je retirai la clé du contact, appuyai ma tête sur le dossier et restai comme ça, sans bouger, afin de reprendre la maîtrise de mes pensées. J'ignorais plus que jamais ce que je ferais de mon temps, mais je saurais enfin le fractionner en fragments de minutes. Ma vie serait l'effort que je déploierais pour la vivre, le temps qui filerait entre mes doigts, ce que je gagnerais, ce que je perdrais. Les choses s'écouleraient. Je laisserais partir Josiane, comme j'aurais dû laisser partir tout le reste : ma mère, Maryse, Jack et Michel.

De retour dans la maison beige, je mis la combinaison de Jack au lavage pour la première fois. Je versai la quantité qu'il fallait de savon à lessive dans la cuve et mis la machine en marche avant de me laisser choir sur elle. L'oreille collée contre l'appareil, je guettais ses premiers ronronnements, berceuse pour adulte. « Maman, tu m'as déjà assis là, n'est-ce pas ? Dans mon banc d'auto, que tu encerclais de tes bras dans l'espoir d'apaiser mes coliques. Où sont passées mes coliques, maman ? Et toi ? Où es-tu ? »

Une fois le cycle de lavage terminé, je mis la salopette au sèche-linge et me rendis à la salle de bains. Je m'emparai du rasoir et me débarrassai de la fine moustache à la Jack que j'entretenais depuis quelques mois. J'ouvris mon placard, enfilai un vieux jeans et un t-shirt de la période où j'étudiais à l'Université de Montréal et pris le chemin du garage.

Je ramassai les affichettes que Michel avait concoctées et les documents que Josiane m'avait remis au fil de nos rencontres et plaçai tout ça dans une boîte sur laquelle j'inscrivis leur adresse. J'apposai sur le paquet tout ce que le bureau de Jack contenait de timbres. Je n'en gardai qu'un et le collai sur une enveloppe adressée à ma mère, dans la rue Berri. « Où que tu sois, même nulle part, repose en paix. » Des feuilles d'érable formaient un L dans le coin gauche du colis, lorsqu'il s'enfonça, avec l'enveloppe, dans la boîte à lettres au coin de la rue.

Les éboueurs passèrent plusieurs minutes devant le garage à mettre les sacs qui contenaient les affaires de Jack dans leur camion de déchets. Le poids sur mes épaules s'allégeait chaque fois que je voyais, à travers la vitrine d'une propreté éclatante, le broyeur écraser férocement les sacs.

J'avais tout nettoyé, jeté tout ce que je considérais comme inutile, sauf la combinaison fraîchement lavée de Jack. Je l'ai pliée et rangée dans une boîte sur laquelle j'ai inscrit *Jack, feu mon idole* en guise d'épitaphe. Je l'ai déposée à bout de bras au-dessus de l'établi. C'était ma façon de ne pas renier complètement l'homme que j'avais été jusqu'alors.

Mes deux employés ne virent rien du changement. Ils entrèrent le lendemain en me saluant comme d'habitude. Un plongea la tête sous un capot et l'autre se glissa sous une voiture, satisfaits de ne rien voir, rassurés de croire en la stabilité de leur propre vie, pareille à hier, pareille à demain.

-28-

Une femme d'à peu près mon âge entra dans le garage et se dirigea droit vers moi.

— Monsieur Melançon ?

— Oui, c'est moi.

— J'aimerais d'abord vous remercier.

— …

— Michel m'a dit que l'argent venait de vous.

Il me fallut un moment pour replacer mes idées. L'image de la femme en larmes dans les bras de Michel, dans le salon de la maison jaune encerclée de l'immense galerie, me revenait tranquillement en tête. Luce. Elle semblait avoir vieilli, sinon j'étais presque certain que c'était elle.

— J'espérais voir Michel. Il travaille avec vous, n'est-ce pas ?

— Non, plus maintenant. Ça doit bien faire quelques mois, déjà. Il y a longtemps que vous n'avez pas eu de ses nouvelles ?

— Environ un an.

— Vous avez fait toute cette route pour le voir ?

— Oui. Je n'ai pas ses coordonnées… Vous savez comment je pourrais le joindre?

— C'est pour de l'argent? Pas la peine d'aller jusqu'à lui, je vous en donne maintenant.

— Non, ce n'est pas ça.

Je scrutais ses traits, cherchant à deviner les motifs de sa visite. Je ne voyais rien, sinon de grands yeux bruns fixés sur moi. Elle était belle, la tête couverte d'un fichu fuchsia, comme son rouge à lèvres, le teint clair, presque translucide, et une moue déterminée qui faisait légèrement plisser son nez. Je ne pus m'empêcher d'être honnête avec elle.

— Pour tout vous dire, je n'ai pas eu l'occasion de parler à Michel ces derniers mois. Je n'ai pas son numéro de téléphone non plus.

Luce m'observait avec un espoir obstiné. Elle refusait de croire mon impuissance. Sa douce insistance m'incita à faire tout en mon pouvoir pour lui venir en aide.

— Je crois savoir où il habite, par contre. Je pourrais aller le voir pour lui demander de vous appeler…

— Vous feriez ça?

— Bien sûr… Si vous me dites d'abord un peu pourquoi vous aimeriez le retrouver.

Elle me raconta sobrement que son cancer était revenu. Elle recevait des soins palliatifs destinés à la maintenir en vie quelques mois de plus, voire quelques années au maximum. Georges l'avait quittée, «lui aussi». Ce devait être celui qui avait demandé à Michel de signer les documents de la clinique de fertilité. Elle me parlait comme si je connaissais tous les détails de son passé. Elle précisa qu'elle

ne blâmait personne. « C'est difficile à vivre, ces affaires-là. »
Le vrai problème, selon elle, n'était pas qu'il avait disparu
sans laisser de traces, mais qu'elle craignait de laisser son
fils orphelin.

— Le nom de Georges ne figure pas sur l'acte de nais-
sance. Je n'ai pas à obtenir sa permission. Mais je dois assurer
le bien-être futur de Thomas, vous comprenez ? J'aimerais
retrouver Michel pour lui demander de bien vouloir le
prendre, le moment venu.

— Bien sûr. J'irai le voir dès demain.

Elle ne put contenir une larme. Je ne savais pas comment réagir. J'étais tenté de m'approcher pour la prendre
dans mes bras, mais je savais trop bien que ç'aurait été
inconvenant. Elle dut remarquer que je me dandinais sot-
tement, car elle sentit le besoin de me réconforter.

— Ne vous inquiétez pas. Je suis juste tellement heureuse que vous fassiez ça pour moi, vous n'avez pas idée.

Cette femme me parlait de bonheur. Il y avait quelque
chose de tristement ironique là-dedans. C'était à mon tour
d'être ému. Je ne pus réfréner mon élan et pris la parole
sans trop m'en rendre compte.

— Vous restez à Montréal ce soir ?

— Oui.

— Vous avez quelque chose de prévu ?

— Non. Je ne suis venue que pour voir Michel. J'ai
laissé mon fils chez ma mère, dans le Bas-du-Fleuve. Je suis
tranquille.

— Vous accepteriez de manger avec moi ?

— Pourquoi pas ?

Je ne tardai pas à fermer le garage ce soir-là. Luce m'attendait patiemment à l'avant. Elle lisait des magazines et relevait ses messages sur son téléphone portable. Elle ne me pressait pas, comme si le temps n'avait aucune emprise sur elle. Je l'examinais à son insu, entre les passages des clients. Son calme était prodigieux.

Elle me suggéra un restaurant qu'elle avait trouvé sur Internet. J'acceptai sans poser de questions. Elle me donna l'adresse et nous roulâmes tranquillement dans la ville. Il faisait un peu froid. Les vitres de la voiture étaient fermées et Luce avait mis le chauffage. Nous baignions dans une odeur chaude de voiture neuve, sans que je réagisse. J'en arrivais même à aimer cette senteur qui m'était devenue si familière.

Luce était à la fois frêle et remarquablement solide. Quand je tournais la tête pour la voir, je la trouvais chétive, mais quand je regardais la route devant moi, je sentais son aplomb. Elle était dans une classe à part, il n'y avait pas de doute. Je repensai à ce que Michel m'avait dit d'elle quelques mois plus tôt. Je les imaginai tous les deux dans ce petit appartement de la Rive-Sud. C'était peut-être son contact avec elle qui l'avait rendu aussi bon et aussi attachant.

Quand nous arrivâmes à destination, je fis signe à Luce d'attendre. Je contournai la voiture et j'ouvris sa portière. Nous entrâmes dans le restaurant bras dessus bras dessous. Elle avait choisi un endroit huppé. Elle avait bien fait, j'étais riche comme Crésus, mais je n'aurais pas moi-même eu tendance à me retrouver là. Je parcourus la salle du regard. Nous faisions une drôle de paire au milieu de la clientèle branchée, moi avec ma casquette de travail et elle avec son fichu rose. Je n'en avais rien à foutre.

-29-

J'étais debout sur le balcon avec deux cafés que j'avais pris chez Tim Hortons à la sortie du pont. La jeep jaune rafisto-lée était garée dans la cour à côté d'un imposant tracteur sur lequel la mention *Tonte et déneigement Michel Lavoie* avait été peinte à la main. Les volets avaient été redressés et le jardin rangé. Je voyais Michel, attablé dans la cuisine, par les carreaux de la porte d'entrée. Il avait une barbe de quelques jours et les cheveux ébouriffés.

La table était ensevelie sous une montagne de bou-quins. Des bouts de tissu et du rembourrage jonchaient le sol. Il posa le livre qu'il tenait à la main et se dirigea vers le vestibule. Bingo aboyait bruyamment et suivait Michel, qui m'aperçut à mi-chemin.

— Je suis content de te voir ! Très content !

Il me serra dans ses bras tandis que Bingo appuyait ses pattes de devant sur mes jambes. Michel relâcha son étreinte. Bingo s'attarda à lécher les gouttes de café renversé à mes pieds pendant que Michel faisait un peu de place en empilant les livres au centre de la table. Josiane passa la tête par la porte de la cuisine pour voir d'où venait ce boucan. Un éclair traversa son regard lorsqu'elle me vit. Elle vint me saluer brièvement puis retourna à ses travaux. Quand elle referma derrière elle, j'aperçus l'homme qui devait être son père, dans sa chaise, près de la machine à coudre. Il avait des bouts de tissu sur ses genoux et semblait aider sa fille. Marie était là, elle aussi. Elle cousait sur un sofa au fond de la pièce.

Michel finit enfin de déplacer les bouquins et je déposai les cafés sur la table.

— Ça va?

— Oui. Et toi?

— Oui.

— Ça me fait plaisir d'entendre ça.

— Je suis venu pour te dire que Luce est passée au garage.

— …

— Elle voudrait te voir.

— …

— Tu accepterais que je lui donne ton numéro de téléphone?

— Oui, évidemment.

Bien sûr, Michel ne me demanda pas si je savais pourquoi elle souhaitait l'appeler. Il inscrivit ses coordonnées sur la page d'un des livres, la déchira et me la tendit pendant qu'on abordait d'autres sujets: ce qu'il devenait, ses plus belles lectures, l'entreprise de coussins de Josiane qui était toujours aussi florissante, ses contrats de tonte de pelouse et de déneigement.

— Juste assez pour gagner ma vie.

Il parla plus que moi. Il ne revint pas en arrière. C'est de sa vie telle qu'elle était alors qu'il m'entretint. Il s'était délesté de ses dernières barrières, me dit-il. Je ne savais pas si je comprenais précisément ce à quoi il faisait référence, mais je saisissais suffisamment pour déduire qu'il vivait pleinement.

Je ne revins pas sur les événements qui nous avaient éloignés. Je ne sus jamais ce qui lui était arrivé dans le passé, pourquoi sa vie avait pris la tournure qu'elle avait prise. Je ne sus même pas s'il avait dévié de sa trajectoire ou s'il était tout simplement devenu celui qu'il était parce qu'il le souhaitait. Il avait raison : c'était sans intérêt.

Il m'offrit de manger avec eux mais je refusai poliment. J'entrouvris la porte du salon pour saluer Josiane avant de partir. Elle inclina la tête en posant la main sur son cœur en signe de reconnaissance.

J'avais gribouillé le numéro du téléphone portable de Luce sur ma copie de l'addition avant de quitter le restaurant, la veille au soir. Je l'appelai dès que je rentrai de chez Michel et Josiane. Elle méritait de savoir sans tarder que Michel avait accepté qu'elle communique avec lui. Et puis, j'avais le goût d'entendre sa voix.

Elle répondit à mon appel dès la première sonnerie.

— Je ne vous remercierai jamais assez, Louis. Je suis si contente que Michel m'ait transmis ses coordonnées. Je me sens choyée. Merci.

Elle me parlait encore de bonheur, ce n'était pas croyable. Je ne pus m'empêcher de l'inviter à la maison beige. Je lui dis ce qui me vint naturellement en tête.

— Si vous n'avez rien de prévu ce soir, vous pourriez venir faire un tour chez moi.

— Volontiers.

Il n'y eut aucune hésitation, ni dans ma voix ni dans la sienne. Rien n'était compliqué. Je lui refilai mon adresse et, moins d'une heure plus tard, la vis arriver en regardant par la baie vitrée. Elle était surexcitée. Elle venait de parler à

Michel, qui avait accepté de la rencontrer dès le lendemain. Sa gratitude était palpable, et sa joie, contagieuse. Elle me donna envie de mettre de la musique, de prendre un verre, de danser, même. J'allumai la radio. Elle n'avait pas joué depuis le temps de ma mère. Je me félicitai intérieurement qu'elle soit réglée à une station de musique instrumentale. Je descendis au sous-sol pour récupérer une bouteille de vin que j'avais gagnée dans un tournoi de golf quelques années auparavant, en versai deux verres dans les coupes de cristal que ma grand-mère avait placées dans le vaisselier puis hasardai une phrase qui n'avait jamais franchi mes lèvres :

— Et si on fêtait ça ?

On but chacun une gorgée, puis on déposa nos verres. Luce me laissa l'enlacer pour la faire tourner délicatement au son de la musique. Un premier pas me rappela que je savais danser. Ma mère m'avait fait suivre des cours, les samedis matin, peu après la fin de mes leçons de saxophone. J'entraînai Luce dans mes souvenirs quelques minutes avant de libérer ses mains.

— Sushis ?

— Oui.

Je fis livrer des rouleaux et des sashimis. On discuta toute la soirée. La conversation fut légère. On s'amusa et on mangea avec appétit. Luce était comme moi. Elle n'avait plus sur les épaules le poids de l'immensité. Elle s'endormit la tête contre mon torse dans le lit que j'avais si longtemps boudé et duquel elle venait de me révéler les plus beaux secrets.

Luce n'a quitté la maison beige que pour aller rejoindre ma mère et Jack après m'avoir offert les deux plus belles années de ma vie.

Elle a fait un dernier voyage dans le Bas-Saint-Laurent pour récupérer son fils Thomas quelques jours après avoir mis les pieds chez moi pour la première fois. Tout le monde a été d'accord pour croire qu'ils seraient tous les deux mieux à Montréal, elle pour ses traitements et lui pour tranquillement apprivoiser Michel. Seulement, c'est moi qui ai fini par tisser des liens avec Thomas. Il n'est pas allé vivre avec Michel et Josiane après la mort de Luce. Elle a demandé qu'il reste avec moi, dans la maison qui était devenue la sienne et qu'elle avait redécorée de fond en comble avec l'aide de Josiane pendant que Michel et moi traînions au garage, comme si le temps n'avait pas d'importance. Et il n'en avait pas.

Il s'est arrêté au cours de ces deux années. Il n'en a jamais été question. Luce et moi avions le temps que nous avions. Assez pour traîner au lit les dimanches, nos têtes appuyées contre le coussin de Bob l'éponge, assez pour passer des après-midis dans la cour chez Michel à jouer au ballon avec Thomas et Bingo, Luce assise à l'ombre sur le sofa en similicuir décrépit.

Je me suis souvent éveillé, la nuit, pour répandre dans le jardin divers mélanges de millet, d'alpiste et de carthame. Je m'appropriais la phrase que j'avais prêtée à Jack : « *Birds of a feather flock together.* »

Luce me savait à l'origine des volées d'oiseaux rares devant la baie vitrée de la maison autrefois beige, mais elle gratifiait chaque fois mes manigances d'un étonnement aussi sincère que généreux.

Nous nous sommes mariés à travers tout cela. Pour que je puisse adopter Thomas plus rapidement. Luce a enfilé des escarpins rouges, une minijupe ivoire et un chemisier blanc. Elle portait un voile orné d'une couronne plaquée or qui couvrait ses cheveux courts, amincis par les traitements, et qui lui donnait un air angélique. Thomas gigotait, assis sur les genoux de Michel. Seul le drame qui l'attendait jetait une ombre sur notre vie et sur cette journée autrement parfaites.

Luce m'a fait un clin d'œil au moment où je lui ai promis fidélité jusqu'à ce que la mort nous sépare. « Ça ne devrait pas être trop difficile », m'a-t-elle murmuré, taquine, quelques secondes après m'avoir promis la même chose. Le monde des autres ne nous appartenait pas. Il nous laissait de marbre. Nous étions en sursis, moi parce que j'avais renoncé à la mort, elle parce qu'elle y était condamnée. Tous deux indifférents à l'éternité, au meilleur comme au pire.

Dès le lendemain, nous avons préparé une requête en placement. Michel ne s'y est pas opposé. J'étais certain qu'il aurait préféré adopter Thomas lui-même : je le connaissais assez bien pour le savoir. Seulement, il n'a rien dit.

Mon casier judiciaire m'a nui davantage que je ne l'avais imaginé, finalement. Le juge a fait relever mon dossier au plumitif pénal. Il a hésité à me confier un enfant. L'incident des coussins le tracassait. Il m'a bombardé de questions auxquelles mes réponses farfelues ne pouvaient qu'attiser sa méfiance. J'ai demandé une suspension d'audience. Le juge me l'a accordée sans poser de questions. Je me suis hâté de sortir de la salle pour donner un coup de fil à Michel. J'avais besoin que quelqu'un intervienne en ma faveur.

— Laisse-moi voir avec Josiane.

J'ai entendu Michel marcher de la table au salon pour vérifier si Josiane voulait bien venir prendre ma défense. J'ai entendu Josiane accepter sans réticence. Ils ont dû rouler à toute allure sur l'autoroute 30. C'est du moins ce qu'ils donnaient à croire, tous les deux, quand ils se sont présentés dans la salle d'audience, décoiffés et le souffle court. Le témoignage de Josiane a été succinct et sobre. Elle a regardé le juge droit dans les yeux :

— C'est un homme bien, je vous assure. On le surnomme affectueusement le « Robin des coussins ».

Michel a acquiescé d'un hochement de tête. Luce a éclaté d'un rire clair. Elle a pris ma main, comme le faisait autrefois ma mère, et l'a portée à ses lèvres pour l'appuyer contre sa bouche entrouverte. Le juge a baissé les yeux. Je ne sais pas s'il a cru Josiane ou s'il n'a pas eu le cœur de faire autrement, mais il a consenti au placement et, six mois plus tard, à l'adoption.

Michel passe parfois chercher Thomas les dimanches après-midi. Je les regarde discrètement s'éloigner dans la jeep jaune qui continue miraculeusement de tenir la route. Je ne sais pas où ils vont. Je ne cherche pas à le savoir. Un peu parce qu'accorder cette liberté à Michel me semble la moindre des choses. Un peu, surtout, parce que ça n'a pas d'importance.

Remerciements

Mes remerciements à Annette Targowla, surtout, pour ses précieux encouragements, mais aussi à mes premiers lecteurs, pour leur courage et leur amitié, et au grand Benoit Gariépy pour la crédibilité des procédures judiciaires. Ce monde ne serait pas le même sans votre touchante générosité.

MARQUIS

Québec, Canada